Noël 2009

À Chloé
Qui en bonne artiste
ne cessera jamais
de rêver... en couleurs

Le Décodeur des rêves

Gilles d'Ambra

Le Décodeur des rêves

De A à Z, les 101 rêves les plus fréquents et leurs interprétations

ISBN : 978-2-7540-1294-2
Dépôt légal : 3e trimestre 2009

Conception graphique : Georges Brevière
Conception couverture : Olivier Frenot

Imprimé en Italie

Nous nous efforçons de publier des ouvrages qui correspondent à vos attentes et votre satisfaction est pour nous une priorité. Alors, n'hésitez pas à nous faire part de vos commentaires à :

Éditions First
60, rue Mazarine, 75006 Paris
Tél. : 01 45 49 60 00
Fax : 01 45 49 60 01
e-mail : firstinfo@efirst.com
www.editionsfirst.fr

Sommaire

Introduction

« Le rêve est une seconde vie », disait de Nerval. Une vie qui nous permet de réaliser nos désirs les plus secrets, si l'on en croit Freud. Nos rêves sont en fait des expériences de réalités virtuelles. Grâce à eux, nous pouvons explorer, sans risque, toutes les facettes de notre personnalité. À première vue, ils paraissent souvent incompréhensibles. Comment les décoder ? Avec les bonnes clés et un peu de jugeote.

10 questions qu'on se pose sur nos rêves

« Nous sommes faits de la même substance que nos rêves, et notre petite vie est toute ceinte de sommeil. »

Shakespeare

1. À quoi ça sert de rêver ?

On n'en sait rien. On a souvent comparé le rêve à un « orage cérébral » qui soulagerait l'organisme de toutes les tensions et les stress accumulés pendant la journée. Rêver est indispensable à notre survie et à notre équilibre psychique. Toutes les expériences de privation de sommeil qui ont été tentées se sont soldées par des troubles psychophysiologiques graves.

2. Pourquoi je ne rêve pas ?

Tous les mammifères (vous en êtes), sauf le dauphin (qui ne dort pas vraiment), et les oiseaux rêvent. La vie de rêve commence dans le ventre maternel. Les bébés humains y consacrent 50 à 60 % de leur temps de sommeil et tous les adultes (sauf les débiles profonds qui rêvent peu), 20 % en moyenne. Si vous croyez que vous ne rêvez pas, c'est qu'en fait vous ne vous souvenez pas ou peu de vos rêves.

3. Pourquoi je rêve en noir et blanc ?

Tout le monde vit et rêve la plupart du temps en couleur. Vous pouvez faire de temps en temps, un rêve en noir et blanc, mais si c'est systématique, c'est en fait vos souvenirs qui sont en noir et blanc.

4. Pourquoi je refais souvent le même rêve ?

Un rêve, c'est un message que notre inconscient nous adresse, quelque chose qu'il essaie de nous faire comprendre. Plus ce message est important, plus notre inconscient remet ça, un peu comme un fax qui renvoie automatiquement un message jusqu'à réception.

5. Est-ce normal de faire des cauchemars ?

Oui. 5 à 8 % des gens font régulièrement des cauchemars, à quelques nuits d'intervalle, mais le taux passe à 25 % chez ceux qui boivent trop. Les cauchemars sont des « mauvais rêves » qui montrent que quelque chose ne va pas dans notre existence (souci, stress…) ou dans notre esprit (contradictions, conflits internes…). Mais d'un point de vue technique, ils correspondent à un éveil (réel ou halluciné) pendant la période physiologique de paralysie du sommeil. C'est d'ailleurs pour cela qu'ils se traduisent souvent par une impression de paralysie, d'impuissance.

Le rêve en chiffres !

Durant toute notre vie, nous passons en moyenne vingt-cinq ans à dormir et au minimum une dizaine d'années à rêver. Cela représente entre 100 000 et 150 000 rêves ! Des rêves qui commencent in utero ! Grâce aux progrès de l'échographie, on peut observer dès le sixième mois de gestation des mouvements rapides des yeux et des doigts chez le fœtus, signes qu'il rêve…

La durée d'un rêve peut varier de 10 à 30 minutes et on rêve toutes les 90 minutes dans son sommeil :

- un nouveau-né rêve donc 10 heures par jour ;

- un enfant de 2 à 5 ans, 2 h 30 ;

- un enfant de 5 à 13 ans, 2 h, en moyenne ;

- un adulte, en moyenne, 1 h 30, le sommeil paradoxal occupant environ 20 % du temps de sommeil.
5 à 8 % des gens font régulièrement des cauchemars, à quelques nuits d'intervalle, mais le taux passe à 25 % chez ceux qui boivent trop.

6. Est-ce normal de rêver de Sarkozy ?

Oui. Même et surtout si vous avez été de toutes les manifs. Nos rêves mettent en scène souvent des actes et des partenaires auxquels on ne songerait pas lorsque nous sommes éveillés. 6 % des filles (11 % des garçons), par exemple, fantasment en rêve sur des vedettes de la politique ou du show-biz.

Dans nos rêves, les célébrités sont souvent des substituts des figures d'autorité, par exemple, Sarkozy : votre père, votre prof ou votre patron.

7. Est-ce que j'ai envie de quelqu'un si je fais un rêve érotique avec lui ?

Ça dépend s'il vous attire ou pas dans la vie réelle. Nos rêves sont parfois l'expression de nos désirs en clair (vous flashez sur une personne et vous rêvez que vous faites l'amour avec elle la nuit suivante), mais souvent ils veulent dire autre chose.

Nos rêves sont souvent ambigus. Par exemple, vous

faites un rêve érotique avec quelqu'un qui ne vous plaît pas dans la réalité, cela peut signifier qu'il vous plaît plus que vous ne le croyez ou, au contraire, être l'expression d'une aversion pour cette personne.

8. Rêver d'un autre, c'est être infidèle ?

Non. D'abord, ça ne signifie pas automatiquement que vous avez envie de l'autre homme (voir plus haut) ou de l'autre femme.

Ensuite, à supposer que vous en ayez envie, le fait d'en rêver (au lieu de passer à l'acte) exprime, au contraire, votre désir de rester fidèle à votre partenaire.

9. C'est normal de faire des rêves érotiques ?

Oui. Les cycles de l'excitation sexuelle et du rêve étant synchrones, c'est normal (et fréquent) de faire des rêves X.

Aux États-Unis, le rapport Kinsey estime à 40 % le nombre de femmes qui ont des orgasmes nocturnes (80 % des hommes).

En France, 31 % des femmes éprouvent des orgasmes dans leur sommeil avec des rêves érotiques. On a aussi observé que les rêves érotiques étaient généralement plus fréquents pendant la période menstruelle, pour des raisons hormonales semble-t-il, et en fin de nuit.

10. Est-ce que je suis horrible si je rêve que je fais des choses affreuses ?

Non. Le contenu de nos rêves n'a souvent rien à voir avec nos intentions et nos penchants habituels. Nos rêves nous permettent parfois de vivre nos désirs les plus secrets, mais avant tout, ce sont des expériences fantasmatiques. Ils nous évitent justement de passer à l'acte.

Qu'est-ce qui se passe quand on dort ?

« Le rêve est le gardien du sommeil. » *Freud*

À raison de 90 minutes en moyenne par nuit, nous passons près de cinq ans de notre vie à rêver.

En fait, nous rêvons tous plusieurs fois par nuit, toutes les 90 minutes environ. La première phase de rêve dure à peu près 9 minutes et survient après 1 heure de sommeil ; la deuxième phase dure 19 minutes ; la troisième, 24 minutes ; la quatrième, 28 minutes ; la cinquième phase se prolonge jusqu'à notre réveil.

Une nuit de sommeil « normale » se déroule ainsi en quatre ou cinq cycles d'une durée variant selon les gens de 60 à 100 minutes. Chaque cycle commence par une phase de **sommeil lent**, caractérisé par une activité cérébrale de faible intensité, et s'achève par une **phase de sommeil dite « paradoxale »**. C'est pendant ces moments-là que nous rêvons. Pourquoi paradoxal ? Parce que quand on rêve, notre organisme est tout chamboulé. Notre corps est quasi paralysé, incapable de réactions à l'exception de quelques spasmes des muscles du visage ou des doigts.

Alors qu'en revanche, pendant le sommeil lent, notre corps est mobile : on change trente fois de position par nuit (en moyenne quatorze minutes dans chaque position).

Pendant le sommeil paradoxal, notre fréquence cardiaque et respiratoire est aussi ralentie et notre tension artérielle est plus basse que dans la journée. Autres différences notables : une activité oculaire nettement plus rapide – les spécialistes nomment d'ailleurs souvent les phases où nous rêvons, phase REM (Rapid Eyes Movement, mouvements oculaires rapides) et un afflux sanguin plus important dans le bas-ventre. Pendant qu'ils rêvent, les garçons ont des érections ; chez les filles, on observe un gonflement clitoridien et une lubrification vaginale.

Pourquoi rêve-t-on de sexe ?

En fait, si on s'en tient à nos seules réactions biologiques, nos rêves érotiques devraient être plus fréquents. Mais 8 % seulement de nos rêves sont de nature érotique. Les cycles de l'excitation sexuelle et du rêve sont synchrones, même si on ne rêve pas forcément de sexe pendant ces moments-là. Des expériences cliniques l'ont montré. On a réveillé des hommes chaque fois qu'ils avaient une érection pour leur demander de raconter le contenu de leurs rêves. Ils faisaient rarement des rêves érotiques ou sexuels. Quand on sert de cobaye, on est sans doute moins porté à fantasmer sur le sexe.

Dans la réalité, au chaud sous sa couette, les rêves érotiques sont moins rares. Sauf fortes inhibitions, auquel cas on ne se souvient même pas de ses rêves, érotiques ou pas. On s'est évidemment demandé pourquoi, chaque nuit, nos corps devenaient des bêtes de sexe. En théorie, ces réactions sexuelles, impliquant ou non un rêve érotique, seraient seulement un test de contrôle physiologique. L'organisme vérifiant automatiquement que le cerveau, le système nerveux et les parties génitales sont en bonne santé et en bon état de marche. En cas de problèmes sexuels (frigidité, impuissance...), les sexologues questionnent d'abord leurs patients pour s'assurer du bon fonctionnement nocturne. Si ça marche la nuit, quand on dort, c'est que le problème est psychologique. En revanche, l'absence de lubrification vaginale (le signe le plus facilement repérable chez les femmes) ou d'érection pour les hommes, pendant le sommeil, laisse supposer que les problèmes ont des causes physiques. Indépendamment de notre vie sexuelle réelle (satisfaisante ou pas), nos rêves érotiques sont ainsi d'abord des signes de bonne santé. Et, pas seulement sexuelle. Le rêve est un « orage cérébral ». Il soulage l'organisme des tensions, du stress et des toxines accumulés pendant la journée.

Rêves du matin, câlins !

Pourquoi a-t-on souvent envie de câlins le matin ? Ne cherchez plus : c'est scientifique ! Une étude américaine vient de montrer que les rêves où le dormeur est en colère ou agressif envers une autre personne avaient lieu en début de nuit dans les deux premières heures de sommeil au cours de la phase REM. En revanche, plus la nuit avance, plus on est dans des dispositions « tendres » envers les autres. 90 % des rêves amicaux ou « socialisants » ont lieu au cours de la seconde partie de la nuit. Les rêves érotiques sont aussi plus fréquents en fin de nuit pendant la dernière phase REM du sommeil parce qu'elle dure plus longtemps (20 à 25 minutes environ).

Source : Psychological Science

Quel rapport y a-t-il avec la réalité ?

Le contenu de nos rêves érotiques n'a souvent rien à voir avec nos penchants et notre sexualité habituels. Bien sûr, on retrouve dans nos rêves la plupart des sentiments, des actes et des figures de nos fantasmes diurnes les plus fréquents. Si vous fantasmez sur votre partenaire sexuel (38 % des femmes, 35 % des hommes) ou sur une vedette du show-biz (6 % des femmes, 11 % des hommes), vous avez une chance de les revoir dans vos rêves. Également, si vous avez des fantasmes de viol (39 % des Françaises), homosexuels (29 % des Françaises) ou exhibitionnistes (33 % des Françaises), ça vous arrivera aussi dans vos rêves. Mais, souvent, nos rêves érotiques impliquent des actes et des partenaires auxquels on ne songerait pas lorsque nous sommes éveillés.

Freud pensait : « le rêve est la réalisation d'un désir ». Ce n'est pas pour autant qu'il faut prendre nos rêves au pied de la lettre. On peut rêver à des nuits chaudes avec son chef de service, le meilleur ami de son mari ou Sarkozy (si, si, ça arrive) sans croire qu'on a envie d'eux. D'ailleurs, le mieux dans ces cas-là, c'est de raconter son rêve pour éviter d'en faire un fantasme.

Bien sûr, nos rêves érotiques peuvent parfois exprimer un désir particulier. Vous rencontrez un homme séduisant et vous rêvez, en clair, la nuit suivante que vous faites l'amour avec lui. Une manière d'anticiper la relation. Mais, avant tout, ils nous permettent de vivre nos désirs les plus secrets, de prendre conscience de nos inhibitions sexuelles (certaines inhibitions tombent dans notre sommeil) et, parfois, de nos fantasmes. Nos rêves sont en fait des expériences de réalités virtuelles. Grâce à eux, on peut explorer, sans risque, toutes les facettes de sa sensibilité et de sa sensualité. Résultat : plus on fait des rêves érotiques, meilleure est notre santé psychique.

Pourquoi rêver de sexe ne peut-il faire que du bien ?

Nos rêves érotiques jouissent (c'est le mot) d'une relative autonomie par rapport à notre vie sexuelle réelle. Ils sont souvent, on l'a vu, décalés et inattendus. Pourtant, ils sont aussi très dépendants de celle-ci. On a remarqué, par exemple, qu'au début d'une relation amoureuse, on rêvait souvent du nouveau venu. Un peu comme si le rêve servait à ancrer le partenaire dans notre mémoire affective et sensuelle. Histoire de se convaincre qu'on l'a vraiment dans la peau, de confirmer la relation à un niveau profond. Ensuite, ça passe. Sauf circonstances exceptionnelles (longue absence, impossibilité physique de faire l'amour), on rêve rarement de bagatelles conjugales. Inversement, nos rêves érotiques servent aussi à combler un manque ou à compenser nos frustrations. « À un moment donné, avec mon ex, on ne faisait plus l'amour, seulement en dormant, dans mes rêves. Ça ne me plaisait pas beaucoup. En même temps, je me disais, ça prouve qu'il y a encore quelque chose ! » (Laura, 28 ans). « En ce moment, je rêve à des situations tendres que je ne connais plus depuis des mois. Par exemple, je tiens la main d'un homme devant un paysage sublime. Du coup, c'est d'un érotisme torride. Ça me trouble, je pensais que la tendresse de mes enfants me suffisait. Je me dis : quel échec ! » (Louise, 42 ans).

Apparemment, on rêve plus souvent sexe quand on est, on se sent, frustré. Si, en faisant l'amour, on satisfait pleinement ses pulsions sexuelles, on n'a pas envie de recommencer dans la foulée. Pas même dans ses rêves. Les orgasmes nocturnes (involontaires) sont d'ailleurs, si on en croit le rapport Kinsey, beaucoup plus fréquents (en moyenne) autour de la quarantaine chez les femmes et de la vingtaine chez les hommes. Deux périodes que l'on imagine plus souvent frustrantes. Comblant nos manques, compensant nos frustrations, nos rêves érotiques jouent ici encore un rôle salutaire. Non seulement ils sont nécessaires à notre équilibre sexuel, affectif et psychologique. Mais, en plus, ils ont une influence positive sur notre sexualité. De là l'intérêt de faire beaucoup plus (et beaucoup plus régulièrement) des rêves érotiques. C'est le plus doux des moyens pour améliorer (rapidement) et enrichir sa vie sexuelle.

10 clés pour interpréter vos rêves

« Un rêve non interprété est comme une lettre non lue. »

Talmud

1. Demandez-vous d'abord à quelle catégorie votre rêve appartient.

Quelle est sa fonction, son utilité ? Deux possibilités :
(1) C'est un rêve de quotidien : il contient de nombreux éléments de la journée écoulée et il ne s'y passe rien de vraiment extraordinaire. Auquel cas, c'est juste une adaptation à la réalité.
(2) C'est un rêve « psychologique » : il se passe des choses bizarres et la charge émotive est importante, votre rêve essaie de vous faire comprendre quelque chose (sur vous, votre passé, votre situation...).

2. Ne prenez jamais au premier degré le contenu de votre rêve.

Ce qui vous semble banal, familier, évident dans un rêve (par exemple, vous giflez votre grand frère) masque souvent quelque chose, qui l'est beaucoup moins (par exemple, vous avez envie de gifler votre père). Plus votre rêve vous semble clair, plus il a quelque chose à cacher. Alors ne vous laissez pas avoir par les apparences.

3. N'interprétez jamais les choses à sens unique.

Notre inconscient est coutumier des substitutions : une personne pour une autre, un objet, un mot pour un autre. Du coup, chaque situation peut se comprendre de manière différente. Exemple : vous faites une grande scène de jalousie à votre compagnon. Plusieurs possibilités :
(1) vous avez besoin de vider votre sac.
(2) Vous avez peur (avec de bonnes raisons) qu'il vous fasse une scène.
(3) Votre scène s'adresse à un autre (par exemple, votre père).

4. Analysez systématiquement les choses à l'envers.

Dans un rêve, « oui » veut souvent dire « non », « je t'aime » signifie « je te hais » ou « je désire », « ça me dégoûte ». Alors, n'hésitez pas à comprendre les choses à l'envers. Inversés, beaucoup d'éléments et de situations de votre rêve prendront parfois tout leur (bon) sens.

5. Changez aussi les rôles.

Toutes les personnes qui apparaissent dans vos rêves sont le fruit de votre imaginaire. Même quand vous les connaissez (papa, maman, Jules, le boulanger…), ils sont vous. Tout ce qu'ils font ou ce qu'ils subissent, c'est ce que vous craignez ou que vous désirez faire ou subir. Alors, n'oubliez jamais que votre rêve, c'est toujours votre film à vous. Vous en êtes le seul producteur-metteur en scène-acteur et spectateur.

6. Laissez libre cours à votre imagination. Faites des associations d'idées.

Rien n'est « vrai » dans un rêve : tout est symbole. Et un symbole n'a de signification que par rapport à d'autres symboles. Alors, n'hésitez pas à jouer avec les formes et les couleurs, à rapprocher des choses apparemment sans rapport. Exemple : vous voyez un garçon shooter dans un ballon rouge. Ballon : lune (des sphères tous les deux) : féminité, pied : pénis et rouge : sang. Vous pouvez interpréter tout ça comme un désir de sexe. Jouez aussi avec les mots. Exemple : vous déclamez dans votre rêve « Oui, mon désir délire » : vous pouvez comprendre aussi « mon désir d'élire ».

7. Réfléchissez aux plus petits détails.

Dans nos rêves, rien n'est jamais complètement anodin. Les choses qui nous paraissent le plus insignifiant sont souvent celles qu'on ne veut pas voir. Partez du principe que chaque fois que vous pensez que quelque chose n'est pas important dans votre rêve, c'est qu'il l'est. Un mot, un chiffre, une couleur… le moindre élément d'un rêve participe à sa signification et peut vous fournir une clé.

8. Recadrez votre rêve, en le reliant aux autres rêves que vous avez faits précédemment.

Il y a une logique de l'imaginaire comme il y a une logique du réel. Un rêve n'est jamais isolé : c'est un épisode (comme dans une série). Vous ne pouvez le comprendre qu'en vous remémorant les épisodes passés, en le resituant dans votre chronologie personnelle. Tous les rêves qui vous ont marqué (plusieurs années plus tard, vous vous en souvenez encore) forment une histoire : votre histoire. À vous de la décrypter.

9. Soyez attentif à ce que vous ressentez en vous réveillant.

Sur quelle impression votre rêve vous laisse-t-il ? Vous vous sentez bien : c'est un bon rêve, il a fait son boulot (de rééquilibrage psychique). Vous vous sentez mal à l'aise (corps et/ou âme), vous avez le sentiment que vous n'arrivez pas) à mettre le doigt sur quelque chose : c'est une étape (à refaire ou à poursuivre). Cela arrive souvent quand un rêve est brutalement interrompu le matin par la sonnerie du réveil. Alors évitez, autant que possible.

10. Prenez l'habitude de raconter vos rêves chaque matin.

Un rêve est toujours un condensé, un peu comme un fichier d'ordinateur compressé. Le simple fait d'en parler aux autres vous permettra de prendre conscience de certaines choses qui vous avaient échappées. Plus vous développez, en rentrant dans les détails, plus vous vous donnez de chances de mieux comprendre. Un dernier conseil : prenez l'habitude de noter tous vos rêves. Ça facilite les souvenirs et puis ça vous fera de la bonne lecture (amusante) pour plus tard.

Comment guider vos rêves ?

« Pour réaliser une chose vraiment extraordinaire, commencez par la rêver. Ensuite, réveillez-vous calmement et allez d'un trait jusqu'au bout de votre rêve sans jamais vous laisser décourager. »

Walt Disney

Tous les psys sont formels : quand on vit bien (consciemment) ses rêves, on a moins de frustrations et d'angoisses et on se connaît mieux. Prendre conscience de ses rêves ouvre les portes d'un monde parallèle (l'imaginaire, l'inconscient), qui enrichit toute l'existence. Vous faites partie de ceux qui ne rêvent (presque) jamais ou qui sont déboussolés par leurs rêves ? Pas de problème. Théoriquement, on peut rêver sur commande.

La direction des rêves est une pratique traditionnelle chez les yogis tibétains, les chamans sibériens ou amérindiens, les aborigènes d'Australie ou les Senoï en Malaisie. Depuis plusieurs années, on l'expérimente dans tous les labos *new age* du monde entier. Aux États-Unis, Stephen Laberge, un professeur de psychophysiologie de l'Université de Stanford, a même inventé le « lucid dreaming », le rêve lucide.

Sa technique consiste à détecter le moindre rêve grâce

aux mouvements oculaires (une paire de lunettes reliée à un petit ordinateur) et à déclencher en retour un feu d'artifice dans les pupilles. Bien rêver, cela s'apprend. Avec un peu d'entraînement, vous pouvez non seulement vous souvenir de vos rêves, mais même les guider.

1. D'abord être en bonne condition physique.

• Dînez léger le soir où vous voulez « programmer » un rêve ; buvez de l'eau. L'alcool « favorise » un endormissement trop rapide. Abstenez-vous aussi de thé et de café, après le déjeuner, ce jour-là.

• Évitez avant de vous coucher de fournir des efforts intenses, physiques ou intellectuels. Pas de gym, ni de lecture prise de tête ou de jeux vidéos.

• Installez-vous confortablement dans votre lit, au calme autant que possible. Les environnements trop bruyants perturbent et le sommeil et les rêves. Allongez-vous sur le dos, la tête assez basse (évitez les gros oreillers qui « cassent » la nuque).

2. Ensuite, évitez de tomber brutalement dans le sommeil.

Normalement, l'entrée dans le sommeil est précédée d'une phase d'endormissement qui dure quelques minutes. Pendant cette phase, votre mental est en roue libre. Vous devez en profiter pour établir la connexion avec votre inconscient. Toutes les images qu'on forme quand on s'endort reviennent automatiquement dans nos rêves. Souvent d'une manière incomplète, parfois très déformées.

3. *Enfin, la technique consiste à visualiser (mentalement) le rêve que vous voulez faire.*

• Commencez par vous relaxer, faites le vide dans votre tête. Laissez défiler vos pensées sans vous y arrêter. Ne vous « accrochez » pas à vos problèmes ou à vos soucis, laissez-les couler, ne réfléchissez pas.

• Imaginez maintenant une situation simple. Exemple : vous retrouvez dans un palais votre prince charmant. Dans un premier temps, vous devez arriver à vous former une image parfaite du décor et des personnages (le prince et vous). Fignolez les détails, attardez-vous sur un grain de peau, la chaleur d'une lumière… En général, c'est surtout les yeux (le regard) et les mains qui sont les plus difficiles à visualiser nettement. Dès que vous avez réussi à « faire le point », vous pouvez passer à l'étape suivante.

• Maintenant, il s'agit d'inventer votre propre scénario. Focalisez-vous d'abord sur l'ambiance, votre sentiment dominant dans cette situation : appréhension, excitation, tendresse, etc. Puis, sur la mise en scène. Vous devez « prévoir » chaque mouvement, chaque geste, les vôtres et ceux de votre partenaire. L'efficacité de votre visualisation dépend de votre degré de précision, aussi bien dans les « formes » que dans les sensations que vous leur associez.

Idéalement, vous devez rester au moins une dizaine de minutes dans cet état-là, à la frontière du rêve et de la réalité. Souvent, les premières fois, vous vous endormirez un peu trop vite. Mais, après quelques essais, vous y arriverez sans problème. Votre premier rêve peut commencer. En principe, 50 à 100 minutes après votre entrée dans le sommeil.

Qu'est-ce qui se cache derrière nos rêves ?

« La faculté de rêverie est une faculté divine et mystérieuse ; car c'est par le rêve que l'homme communique avec le monde ténébreux dont il est environné. »

Charles Baudelaire

Depuis toujours, les hommes se sont penchés sur leurs rêves pour mieux les comprendre. Les premières clés des songes datent de la haute Antiquité. Mais il faut attendre le XIXe siècle et la révolution psychanalytique pour que la logique du rêve commence enfin à être décryptée sérieusement. Pour Freud, et la plupart des psys après lui, le rêve est « la voie royale qui mène à l'inconscient de la vie psychique », une scène où se rejouent sans cesse les grandes manœuvres œdipiennes. Ce qui explique que derrière la variété et la richesse de nos rêves (le contenu manifeste), on retrouve souvent des thèmes et des sentiments récurrents (le contenu latent). Petite revue de détail de ce qui se cache fréquemment derrière nos rêves.

Le complexe de castration

Il naît au moment de la découverte de la différence anatomique des sexes (« il a un zizi, j'en ai pas »). Chez la petite fille, l'absence de pénis est ressentie comme un préjudice subi (sentiment de castration) qu'elle cherche à nier, compenser ou réparer (en rêve et / ou en réalité). Le garçon redoute de le perdre (angoisse de castration) s'il fait une bêtise (par exemple essayer de tuer son père ou de coucher avec sa mère).

Le désir du pénis

Pour Freud, l'envie du pénis est l'élément fondamental de la sexualité féminine. Percevant sa différence comme un moins, un manque, la petite fille se sent lésée et veut avoir un pénis comme les garçons. Chaque petite fille connaît l'envie du pénis, mais cette envie se développe par la suite de façon différente. Normalement, au cours de la phase œdipienne, elle se transforme en envie d'avoir un pénis au-dedans de soi, à la fois envie de jouir du pénis dans le coït et désir d'enfant.

Sigmund Freud

Psychanalyste autrichien
Né à Freiberg le 6 mai 1856
Décédé à Londres, le 23 septembre 1939
Originaire d'une famille juive de Bohème réfugiée à Vienne, Sigmund Freud est diplômé en 1881 de la faculté de médecine. Il s'intéresse d'abord à la neurologie avant de s'orienter vers la psychiatrie. Ses études sur l'hystérie, avec

Charcot et Breuer à Vienne, lui permettent de jeter dès 1895 les bases de la psychanalyse. La mort de son père en 1896 accélère le processus : Freud met en évidence le principe du refoulement. En 1897, il commence à travailler sur les rêves qui le conduisent à ses découvertes les plus importantes : l'existence de l'inconscient et le complexe d'Œdipe. Déjà Socrate définissait le rêve comme un lieu où les désirs honteux, réprimés le jour, se « trémoussent » pour assouvir leurs penchants. Freud y ajoutera l'idée du travestissement : le rêve est la réalisation d'un désir, mais ce désir ne s'exprime pas en clair, d'où l'aspect énigmatique de nos rêves, il a besoin d'être interprété. Le rêve serait ainsi une sorte de « soupape de sécurité » permettant à l'Inconscient de s'exprimer sans perturber l'équilibre psychique de l'individu. Mais aussi la clef, à la fois ce qui rend possible et efficace, le travail d'une cure psychanalytique.

La culpabilité œdipienne

« Le désir avec lequel la petite fille se tourne vers le père est sans doute à l'origine le désir du pénis que la mère lui a refusé et qu'elle espère maintenant avoir de son père. Toutefois, la situation féminine ne s'établit que lorsque le désir du pénis est remplacé par le désir de l'enfant et que l'enfant, selon la vieille équivalence symbolique, vient à la place du pénis. » (Freud) Tant qu'une fille ne franchit pas ce cap-là, elle se sent coupable de vouloir prendre la place de sa mère. Chez les garçons, la culpabilité est liée au désir pour la mère.

L'agressivité contre la mère

Chez la fille, elle est motivée par deux raisons. (1) « Maman ne m'a pas donné de pénis, je lui en veux. » (2) « Elle m'empêche d'avoir papa pour moi toute seule. » Dans ce cas, la mère est ressentie comme une rivale qu'il faut éliminer. En revanche, les garçons en veulent à leur mère parce qu'elle n'accède pas à leur désir (illégitime) et préfère le père. Ou, au contraire, parce que la mère les préfère au père, ce qui les met en danger, ce dernier pourrait vouloir se venger (couic !).

L'agressivité contre le père

Chez les filles, elle est motivée par le refus du pénis. Elle peut s'exprimer de deux manières : la rivalité (compétition, rapports de force avec le père et, plus tard, avec les hommes en général) ou la séduction (hyper sexy, provocante avec le père). Chez les garçons, l'agressivité contre le père s'explique par le désir de la mère et la peur de la castration.

Quand nos rêves se transforment en cauchemars…

« Nos cauchemars, c'est notre âme qui balaye devant sa porte. »

Jacques Deval

Peuplés de monstres, tragiques, ou d'apparence plus banale, les cauchemars sont des rêves d'angoisse. Les pires sont d'ailleurs souvent ceux où la menace est imprécise, sans objet.

Pour Freud, la raison des rêves est connue. C'est le retour du refoulé dans la conscience sous la poussée des désirs inconscients. Le refoulement est un mécanisme psychique de base qui consiste à évacuer de la conscience tout le négatif des pulsions et des affects (culpabilité, agressivité, etc.), toutes les idées qui dérangent. Cela afin de préserver l'intégrité et la tranquillité du Moi.

Dans le cas de nos « mauvais rêves », le problème est un peu différent. Le cauchemar ne correspond pas au retour d'une angoisse refoulée. C'est en fait un rêve qui échoue dans sa fonction psychique et c'est cet échec qui provoque l'angoisse.

En fait, le cauchemar et la crise d'angoisse fonctionnent de la même manière, l'un la nuit, l'autre, le jour.

D'ailleurs, il existe un point commun à travers toutes les descriptions du cauchemar. Il s'agit de sensations de suffocation, de poids lourd, serrement, oppression, forte pression sur la poitrine et l'estomac, voire de paralysie : le même type de sensations qui caractérise les crises d'angoisse.

Dans le genre, le pire cauchemar est celui où alors qu'on croit s'être éveillé d'un cauchemar, on se découvre aussi paralysé, impuissant, que dans le rêve, parce qu'en fait on est toujours endormi, en train de rêver !

Pourquoi fait-on des cauchemars ?

Nos cauchemars sont parfois provoqués par des événements extérieurs. C'est le cas, par exemple, en cas de stress post-traumatique (après un accident, une agression…) : on revit sans cesse dans ses rêves tout ou partie de l'événement traumatisant. Ce qui angoisse aussi dans la vie éveillée, comme des examens, la peur d'être puni, quitté par son partenaire, une faute commise, etc., provoque aussi fréquemment des cauchemars.

Ils sont aussi parfois liés à la consommation de certains médicaments (somnifères, bêtabloquants...) ou à la réduction de la consommation et au sevrage d'alcool et de certains anxiolytiques (benzodiazépines).

Mais ils apparaissent aussi souvent sans cause apparente :

on fait un « mauvais rêve » et on ne sait pas pourquoi. Dans ce cas, nos cauchemars sont toujours l'expression de conflits internes importants qu'on ne veut pas voir, de pulsions et de désirs contradictoires, par exemple entre l'envie de quitter son conjoint pour un autre et l'obligation d'élever ses enfants, entre lesquels on n'arrive pas à choisir.

Quoi qu'il en soit, le cauchemar est universel. 5 % de la population mondiale en souffre de manière récurrente, 6 % se plaint d'en avoir souffert dans le passé, et les femmes plus que les hommes. Nos « mauvais rêves » sont souvent plus fréquents en fin de nuit.

Quelle différence avec une terreur nocturne ?

Les terreurs nocturnes (pavor nocturnus) sont, en revanche, plus fréquentes chez les enfants que chez les adultes (on estime que 1 à 4 % des 4-12 ans en souffre), et chez les hommes que chez les femmes.

À la différence des cauchemars, les terreurs nocturnes surviennent plus souvent durant le premier tiers du sommeil. Le réveil est brutal, caractérisé par un cri de terreur et, contrairement à un mauvais rêve, on est complètement désorienté pendant quelques minutes (signes d'anxiété intense, d'agitation, de confusion).

Autre différence, les terreurs nocturnes surviennent

pendant le sommeil lent profond, et on ne garde pas souvenir de ce qui les a provoquées, alors que le cauchemar survient pendant le sommeil paradoxal.

À quoi servent nos cauchemars ?

Nos « mauvais rêves » de la nuit servent à régler nos problèmes et conflits. Comme les rêves, les cauchemars nous permettent de « digérer » les acquis de la journée, d'en faire le tri et de prendre du recul. 100 % des enfants entre 2 et 6 ans font d'ailleurs des cauchemars !

Selon Antti Revonsuo, professeur à l'Université de Turku, dans le sud de la Finlande, « Le rêve est un système naturel de réalité virtuelle produit par le cerveau. Ma théorie est que ce système de simulation sert à nous apprendre à survivre, pour nous entraîner à réagir aux situations dangereuses du quotidien. Un peu comme un simulateur de vol apprend à éviter les erreurs de pilotage. » Le rêve serait donc un immense théâtre où l'on affronterait des problèmes épineux pour apprendre à les résoudre en toute sécurité. « Ce serait une capacité héritée de nos ancêtres, qui aurait permis aux hommes préhistoriques de chasser, d'apprendre à se défendre. Une fonction que l'évolution aurait sélectionnée… Alors que, globalement, notre quotidien n'est pas menacé, nos rêves ont une composante majoritairement négative. Nous rêvons de simulations de dangers primitifs, poursuites, bagarres, attaques, qui parfois peuvent se répéter lors de rêves récurrents. La fonction adaptative du rêve serait donc bien de simuler la perception du danger et de s'entraîner à l'appréhender. » Pour preuve, 66 % de nos rêves récurrents contiennent effectivement un ou plusieurs éléments menaçants.

Comment se débarrasser de nos cauchemars ?

Déprimés, anxieux, stressés… Nous avons tous tendance à faire des cauchemars. Ils pourrissent nos nuits et parfois la vie. Comment lutter contre ? D'abord, en évitant tout ce qui peut les déclencher : histoires d'horreur (en vrai ou dans la fiction), films ou jeux vidéo terrifiants, alcool, médicaments (périodes de sevrage de certains somnifères, ou antidépresseurs…). Ensuite, en en parlant à ses proches pour les dédramatiser. Les jeunes enfants, particulièrement, devraient toujours pouvoir raconter leurs rêves effrayants pour ne pas tricoter des scénarios d'horreur dans leur tête. Certains éléments de l'environnement peuvent aussi effrayer un enfant et induire des cauchemars. Alors voyez avec votre enfant si des choses lui font peur dans sa chambre : une porte d'armoire qui ferme mal, l'ombre d'un arbre sur un mur… Et allumez une veilleuse s'il a peur du noir (ça marche pour vous aussi).

Vous pouvez lui donner aussi des trucs très efficaces pour lutter contre les « monstres » qui hantent ses nuits.

Par exemple, lui dire que s'il ferme les yeux la prochaine fois qu'il verra quelque chose qui lui fait peur dans un rêve, automatiquement il se réveillera. Lui dire aussi qu'il peut jouer avec les « monstres » de ses rêves, s'amuser à les agrandir, puis à les rapetisser.

Les rêves prémonitoires existent-il ?

« Je rêvais d'un autre monde / Où la terre serait ronde, / Où la lune serait blonde, / Et la vie serait féconde. »

Jean-Louis Aubert

De tout temps, les hommes ont cru aux rêves prémonitoires. On en raconte beaucoup dans la Bible. C'est grâce à ses prémonitions nocturnes que Joseph, le fils de Jacob, fait toute sa « carrière ». C'est par le biais d'un songe aussi que Joseph le charpentier apprend les secrets de la fécondité de Marie et le rôle qui lui est dévolu dans ce mystère. On dit que Jules César, comme Abraham Lincoln, avait rêvé de son propre assassinat, que le naufrage du Titanic, l'assassinat des frères Kennedy, ont d'abord été rêvés.
Mais qu'en est-il vraiment ? Ce phénomène correspond-il à une réalité ?

Le rêve de Joseph le charpentier

Une nuit, Joseph fait un rêve. Un ange lui apparaît et lui dit : « Joseph, fils de David, ne crains pas de prendre Marie comme épouse, car l'enfant qui a été conçu en elle vient du souffle de Dieu. Tu lui donneras le nom de Jésus. »
Le lendemain, après avoir longtemps hésité, Joseph choisit

d'écouter son rêve. Il accueille le fils de Marie et l'adopte comme son propre fils.

Comment les expliquer ?

Les rêves prémonitoires seraient uniquement dus au pouvoir de déduction de notre cerveau ! C'est l'hypothèse le plus souvent évoquée par les chercheurs pour expliquer le phénomène. « Notre esprit conscient aurait une faible capacité à traiter beaucoup d'informations à la fois, suppose, par exemple, le Dr Ap Dijksterhuis de l'Université d'Amsterdam (Pays-Bas). Cela pourrait entraîner une mauvaise évaluation de l'importance de chaque information. » En revanche, notre inconscient aurait la capacité de traiter beaucoup plus d'informations simultanément, conduisant à un choix optimal. En effet, pendant la nuit, notre matière grise continue à travailler. Elle trie, classe et réorganise les informations à notre disposition. Ainsi, divers éléments qui nous ont échappés mais que l'on connaît sans le savoir, forment une nouvelle « vision » qui peut se manifester dans un rêve. D'ailleurs, « Le mieux à faire quand vous êtes face à une décision importante, conseille Ap Dijksterhuis, c'est de réunir toutes les informations nécessaires dans un premier temps.

Ensuite, laissez dormir tout ça pendant un petit moment, vous verrez que la meilleure solution se présentera à vous plus facilement. »

Le rêve de Pharaon

Une nuit, Pharaon fait un rêve où il voit sept vaches maigres qui dévorent sept vaches grasses. Aucun de ses mages ne parvenant à l'interpréter, Joseph, le fils de Jacob, est tiré de sa prison (il avait refusé les avances de la femme de Putiphar, son maître ; pour se venger, elle avait raconté qu'il avait tenté de la séduire). Joseph explique à Pharaon que les sept vaches grasses (sept épis pleins dans une autre version) qu'il a vues dans son rêve sont sept années de grande abondance que connaîtra le pays. Les sept vaches maigres (ou épis maigres) sont les sept années de sécheresse qui suivront. Il lui conseille d'utiliser l'excédent des premières années pour engranger des réserves destinées aux années de sécheresse.

Impressionné par l'interprétation de Joseph, Pharaon le nomme vice-roi d'Égypte.

Le « hasard » fait bien les choses

C'est du moins ce que pense Carl Jung, l'un des pères de la psychologie. Pour expliquer les coïncidences troublantes qu'il y a parfois entre nos rêves et la réalité, par exemple on rêve qu'on a une promotion et, une semaine plus tard, on a effectivement une promotion, il a posé l'existence d'un principe qu'il a nommé « synchronicité ». L'idée lui en est d'ailleurs venue à partir d'un rêve prémonitoire. Un jour, l'une de ses patientes lui raconte son rêve de la nuit précédente, où il y avait un scarabée d'or. Or quelques instants plus tard, un coléoptère doré vint, comme par hasard, frapper à sa fenêtre.

Carl Gustav Jung

> *Médecin et psychologue suisse*
> *Né à Keswill, le 26 juillet 1875*
> *Décédé à Küsnacht, le 6 juin 1961*
> *Issu d'une famille protestante, Carl Gustav Jung étudie la médecine et la psychiatrie à l'Université de Bâle. En 1900, il devient assistant à l'hôpital psychiatrique de Zurich. Présenté à Freud en 1907, il est rapidement considéré par ce dernier comme son successeur. L'histoire raconte qu'après leur rencontre, Freud a annulé tous ses rendez-vous pour la journée, et qu'ils ont parlé 13 heures d'affilée. Mais, assez rapidement, les deux hommes divergent et la rupture est consommée en 1912. Jung s'oppose au « tout sexuel » de Freud et affirme l'existence de deux formes d'inconscient : l'un, personnel, l'autre collectif, comme une mémoire de l'humanité véhiculant les grands archétypes mythologiques. Pour lui, les rêves sont aussi une porte ouverte sur l'inconscient, mais il y a des rêves qui comportent des images que le rêveur ne peut pas relier à sa vie, qui ne lui disent rien. Aussi, à la différence de Freud, il estime qu'une des principales fonctions du rêve est de contribuer à l'équilibre*

psychique : « Pour sauvegarder la stabilité mentale, et même physiologique, il faut que la conscience et l'inconscient soient intégralement reliés, afin d'évoluer parallèlement. »

Charlatanisme ou rêves prémonitoires ?

Naufrage du *Titanic*, assassinat des frères Kennedy, attentats du 11 septembre… Les grandes catastrophes de ce monde ont souvent été « prédites » après coup au prétexte de visions ou de rêves prémonitoires. Charlatanisme souvent, mais parfois les faits sont avérés. David Booth est un employé de bureau de Cincinnati, dans l'Ohio ; c'est un Américain modèle. En mai 1979, sa vie devient un enfer : toutes les nuits, il refait sans cesse le même horrible cauchemar, où il assiste, comme « en direct », à la même tragédie. Dans son rêve, D. Booth voit un avion de passagers se cabrer au moment de son envol, s'écraser au sol, exploser dans une immense gerbe de flammes et de fumée. Il consulte son psychiatre, qui le prend tant au sérieux qu'il téléphone aux autorités aériennes de l'aéroport de Cincinnati. Là, une équipe tente de deviner, d'après les détails fournis par la « vision », de quel aéroport il peut bien être question. American Airlines renforce même ses mesures de sécurité. Plus les jours passent et plus le cauchemar devient précis. « Ce n'était pas comme dans un rêve, a expliqué David, j'avais le sentiment d'être là, en train de regarder la scène comme si je regardais la télévision. » Le 26 mai, la nouvelle tombe brutalement sur les télescripteurs du monde entier : un DC-10 de l'American Airlines vient de s'écraser au sol, en décollant de l'aéroport international de Chicago. Deux cent soixante-treize personnes périssent carbonisées dans ce qui est le plus terrible désastre aérien de l'aviation civile américaine.

Le rêve du président Abraham Lincoln

Abraham Lincoln, le président de la guerre de Sécession et de l'abolition de l'esclavage, dit un jour lors d'une réception : « C'est étonnant de voir l'importance des rêves. Dans seize chapitres de l'Ancien Testament on mentionne des rêves. Si nous croyons ce que dit la Bible, les choses viennent à notre connaissance par le rêve. Tenez, dit-il à ses amis, l'autre nuit, j'ai fait tout un rêve.

J'entendais pleurer une foule que je ne voyais pas. Je suis allé dans une autre pièce, il n'y avait personne et puis en passant dans une autre chambre, il y avait des soldats et une tombe. Je me disais en moi-même : "Ce doit être quelqu'un d'important pour qu'il y ait autant de soldats autour." »

Alors en passant je me suis arrêté devant un soldat et je lui ai demandé qui était mort. Le soldat, les yeux rougis par les larmes, me répondit : « C'est le président qui a été assassiné ».

Quelques mois après ce rêve, le 14 avril 1865, un Vendredi Saint, le président Abraham Lincoln mourait assassiné.

La logique inconsciente peut-elle tout expliquer ?

Pas sûr ! Certains rêves donnent parfois des informations extrêmement précises qui échappent à la logique comme à l'intuition. C'est, par exemple, ce qui est arrivé au dessinateur Fred (auteur de la bande dessinée *Les Aventures de Philoménon*) : « Après un accident, j'avais laissé ma voiture à un ami garagiste en lui demandant de m'envoyer la facture au plus vite. La nuit même, j'ai rêvé qu'elle s'élevait à 1 511,22 euros. Ce rêve était si fort que, le lendemain matin, j'en ai parlé à ma femme. Une semaine plus tard, mon ami ne connaissait toujours pas le montant des réparations. Deux semaines plus tard, j'ai reçu une facture de... 1 511,22 euros, comme dans mon rêve ! »

Difficile dans ce cas de voir comment notre cerveau est capable d'arriver à de telles conclusions !

La nuit porte-t-elle vraiment conseil ?

Sûrement. On l'a tous constaté un jour ou l'autre. Parfois même, elle permet d'être créatif. De nombreux créateurs ont d'ailleurs puisé leur inspiration dans leurs rêves :

- L'œuvre *Kubla Khan*, de Samuel Taylor Coleridge (1772-1834), a été entièrement élaborée en rêve.
- Voltaire a composé *La Henriade* pendant un rêve.
- Edgar Allan Poe puise dans ses rêves l'inspiration de ses histoires.

• William Blake (1757-1827) a mis en œuvre un procédé de gravure sur cuivre que lui indiqua en rêve son frère cadet décédé.

• *La Sonate du Diable* composée par Giuseppe Tartini (1692-1770) fut, d'après lui, une reproduction moins réussie que celle qu'il avait entendue en rêve.

• Hermann Von Hilprecht, assyriologue américain, rêva la solution d'un mystère vieux de plus de trois mille ans, et celle-ci se révéla exacte.

• Friedrich Kekulé von Stradonitz rêva la structure cyclique du benzène et révolutionna la chimie moderne.

• Otto Loewi découvrit en rêve que la transmission de l'influx nerveux dans le cerveau était de nature chimique. Il reçut le prix Nobel de médecine et de physiologie en 1936 pour ses travaux.

• Robert Louis Stevenson a utilisé des personnages vus en rêve pour écrire *L'Étrange Cas du Dr Jekyll et de Mr Hyde.*

• Paul McCartney a entendu la chanson *Yesterday* en rêve avant de la rejouer telle qu'il l'avait entendue.

Le rêve d'Alexandre le Grand

Dans sa biographie des hommes célèbres, Plutarque (vers 46-125) raconte qu'après avoir assiégé la ville de Tyr durant sept mois, Alexandre le Grand, épuisé, décida un jour de lever le siège. Mais la nuit suivante : « Alexandre eut, pendant son sommeil, une nouvelle vision. Un satyre lui apparut qui semblait, de loin, vouloir jouer avec lui, mais qui prenait la fuite dès qu'il voulait l'attraper. Enfin, après force supplications et poursuites, il lui tomba entre les mains. » Le lendemain, ses conseillers partagèrent le mot satyre en deux, Sa-Tyros, *et déclarèrent : Tyr sera tienne* (sa = *à toi, en grec). Effectivement, Alexandre prit Tyr qui se rendit sans combattre, les assiégés n'en pouvant plus.*

En tout cas…

La croyance à l'origine divine des songes est une croyance universelle. Dans la mythologie grecque, Morphée désigne les songes. Il est le fils d'Hypnos (le Sommeil) et de Nyx (la Nuit). C'est en effleurant un dormeur avec une fleur de pavot qu'il lui procure un rêve. Il fut foudroyé par Zeus pour avoir communiqué des secrets aux mortels. Dans presque toutes les religions, on enseigne que la communication avec le ciel s'effectue uniquement pendant le sommeil, moment où l'âme s'éveille. L'oniromancie babylonienne n'avait rien à apprendre de la Grèce. Le songe prophétique est bien connu chez les Sémites (juifs et musulmans), comme chez les peuples sibériens et amérindiens. Dans ces sociétés chamaniques, certains types de rêves vont apporter la chance au chasseur. S'il rêve de la fille de l'esprit de la Forêt, par exemple, c'est-à-dire du donneur de gibier (donneur de chance), sa chasse sera couronnée de succès.

Les rêves disent-ils l'avenir ? Peut-être. En tout cas, comme disait Carl Gustav Jung, « En chacun de nous existe un autre être que nous ne connaissons pas. Il nous parle à travers le rêve et nous fait savoir qu'il nous voit bien différent de ce que nous croyons être. » Le célèbre psychanalyste avait d'ailleurs coutume de poser une simple question à ses patients qui se débattaient dans des problèmes en apparence insolubles : « Et que disent vos rêves ? »

Les 101 rêves les plus courants et leurs interprétations

J'ai fait un rêve...

« Le rêve est la forme sous laquelle toute créature vivante possède le droit au génie, à ses imaginations bizarres, à ses magnifiques extravagances. »

Jean Cocteau

En étudiant des milliers de rêves, de nombreux chercheurs, comme, Antti Revonsuo, psychologue de l'Université de Turku (Finlande) ou Antonio Zadra, Sophie Desjardins et Étienne Ramotte, psychologues spécialistes des rêves et des cauchemars de l'Université de Montréal, ont identifié les thèmes qui reviennent le plus souvent dans nos rêves.

A

Agression

Fréquence : 7 %

Voir : *Poursuite*

Ailes

Fréquence : 14 %

Les ailes (d'un ange, d'un oiseau...) sont toujours liées dans nos rêves à un désir d'émancipation, un besoin de liberté (victoire sur la pesanteur, sur les contraintes familiales, corporelles, matérielles).

Comment l'interpréter ?

Ange : sublimation des sentiments de castration (et de la sexualité).

Canard : désir de pénis.

Paon : poussée narcissique.

Cigogne : désir de rupture (avec le milieu familial, social).

Aigle : désir de dominer (les autres, les événements).

Mouette : envie de passion.

Anatomie

Fréquence : 3 %

À moins d'appartenir à une profession médicale ou paramédicale, les rêves d'« anatomie », par exemple : squelette, fœtus, poumon, etc., sont presque toujours assez mauvais signe.

Comment l'interpréter ?

C'est toujours l'expression de sentiments d'infériorité, d'angoisses touchant à la santé ou de problèmes sexuels déguisés (sentiments de culpabilité et de hontes).

Animal (petit...)

Fréquence : 15 %

Chiot, chaton, bébé lapin... Des petits d'animaux apparaissent assez fréquemment dans nos rêves. Ils sont presque toujours des projections de l'enfant qui est en nous.

Comment l'interpréter ?

Petit animal sans ressources, abandonné ou en train de pleurer : sentiments de solitude, de tristesse, besoin d'aimer et d'être aimé, de rire et de s'amuser plus dans sa vie.

Voir aussi : *Bébé*

Arbre

Fréquence : 27 %

Anonyme dans un rêve (pas un sapin ou un chêne, etc.), l'arbre représente la relation entre la terre / instinct et le ciel / mental. C'est un symbole (phallique) de vie, de croissance, d'évolution.

Comment l'interpréter ?

Arbre normal : ouverture sur les hommes, bonnes relations avec votre propre masculinité.

Arbre coupé (racines ou branches) : angoisse et sentiment de castration, problème d'identité personnelle (coupée de ses racines).

Arbre immense : problèmes familiaux lourds, isolement du Moi.

Arbre qui brûle : besoin de purification, de régler les comptes du passé.

Monter sur un arbre : désir d'échapper à des sentiments douloureux.

Arbre pourri, bois brûlé, fumées noires : tendances suicidaires.

Argent

Fréquence : 8 %

Dans nos rêves, l'argent a presque toujours à voir avec la réussite, la crainte ou non d'être à la hauteur. Mais aussi, avec le temps : donner ou non de son temps, avoir le temps ou pas pour faire ceci ou cela.

Comment l'interpréter ?

En amasser : signe de perte de confiance en soi ou d'optimisme, de crainte de l'avenir, que tout va trop vite.

Le compter : les bons comptes faisant les bons amis, souvent un signe de dispute avec soi ou les autres.

Le perdre : sentiment de malchance, de perdre son temps dans une situation donnée.

Armure

Fréquence : 3 %

Cuirasse à la fois protectrice mais peu « communicante », l'armure symbolise presque toujours, dans nos rêves, une retenue, contrainte ou volontaire, de la sensibilité.

Comment l'interpréter ?

Enfermée dans une armure : rejet de votre féminité (désir d'adopter un comportement masculin), difficulté

pour établir un rapport satisfaisant avec son compagnon, sinon sur le mode Jeanne d'Arc (toujours pucelle), comme vieux copain de régiment ou adversaire.
Chez un homme : sentiment d'impuissance sexuelle et relationnelle ou manque de reconnaissance sociale (à l'image du Masque de fer).
Voir un guerrier armé : peur de la violence, d'être agressée sexuellement.

B

Bateau

Fréquence : 21 %
Dans l'imaginaire onirique, le bateau est un symbole de liberté. Il signifie presque toujours un désir d'évasion.
Comment l'interpréter ?
Voilier : confiance dans les événements.
À moteur : besoin de maîtriser les choses, de changer, en gardant le contrôle.
Paquebot (de croisière) : besoins sociaux, désir de se faire des amis.
Navire de guerre : peur de la pénétration ou désir du pénis (selon les sentiments éprouvés).
Sous-marin : régression dans l'utérus maternel.

Bébé

Fréquence : 11 %

Représente ce qui est en devenir, peut exprimer un espoir, mais aussi une régression.

Comment l'interpréter ?

Dans 30 % des rêves : épisode régressif.

Dans 30 % : préoccupation métaphysique (« Où vais-je ? »).

Dans 20 % : petit frère ou petite sœur ressentis comme envahisseurs.

Dans 20 % : désir de maternité et éventuelles frustrations en rapport.

Qu'est-ce que l'oniromancie ?

La vertu prophétique des rêves ne date pas d'hier. Dès la plus haute Antiquité, l'art de deviner par les songes, ou oniromancie, du grec ancien oneiros *(« rêve ») avec le suffixe mancie issu du* manteia *(« divination »), est sans doute la plus ancienne méthode de divination utilisée par l'homme. Elle est même antérieure à l'astrologie. Elle avait ses lettres de noblesse chez les philosophes : Platon considérait les songes comme un moyen « d'allier les cieux à la terre », tandis qu'Aristote y voyait les effets d'un ordre supérieur et divin. Hippocrate et Galien, les pères de la médecine, croyaient en la signification des rêves et les prenaient en considération dans leurs prescriptions médicales. Dans* L'Art de prévoir les maladies du corps humain par l'état du sommeil, *Hippocrate, par exemple, montre comment on peut savoir si quelqu'un est en bonne santé, ou au contraire malade, suivant l'état du soleil, de la lune ou des astres vus en rêve.*

Blanc

Fréquence : 50 %

Dominante dans un rêve sous des formes diverses (neige, brouillard, lumière, visages…), la couleur blanche est un symbole de pureté. Elle exprime d'un côté l'innocence (la virginité des origines), de l'autre, la mort.

Comment l'interpréter ?

Blanc mat : sentiments d'inertie, d'isolement, de non-implication dans votre situation actuelle.

Blanc brillant : désir de pureté, de perfection, d'accomplissement individuel.

Associé à du bleu : situation conflictuelle en voie de règlement.

Associé à du rouge : pulsions contraires (par exemple, rester vierge ou pas).

Opposé à du noir (carreau, damier, etc.) : angoisses existentielles.

Blanche-Neige

Fréquence : 3 %

Dans les rêves, comme dans le conte, Blanche-Neige symbolise la jeune fille qui devient femme. Sur sa robe, le rouge (du sang menstruel) s'opposant au blanc (virginal).

Comment l'interpréter ?

En fonction de la tonalité affective du rêve.

Agréable : expérience de la transformation pubertaire.

Désagréable : rivalité narcissique avec la mère.

Voir aussi : *les couleurs*

Blessure

Fréquence : 7 %

Ce type de rêve attire toujours l'attention sur quelque chose qu'on a négligée dans sa vie (il ne s'agit pas du corps physique), maltraitée ou rejetée.

Comment l'interpréter ?

Blessure personnelle : sentiment d'atteinte à son intégrité psychique, tonalité dépressive.

Mutilation : sentiment de deuil (après une perte), mais parfois aussi besoin d'exorciser ses propres démons.

Blessure chez les autres : pulsions agressives.

Voir aussi : *Sang*

Bleu

Fréquence : 36 %

Le bleu dans nos rêves est souvent celui du ciel ou de la mer, mais quand il est perçu comme couleur, il symbolise l'éloignement, le renoncement, le repos.

Comment l'interpréter ?

Quelle que soit sa nuance, le bleu exprime toujours une quête d'unité de l'être, un désir de paix intérieure.

Associé à du jaune : équilibre entre raison et sentiment, intellect et cœur.

Opposé à du rouge : conflit entre la tête et le sexe, la raison et la passion.

Bouche

Fréquence : 3,5 %

Liée à une problématique jouissance/frustration, la bouche (humaine ou animale) renvoie dans nos rêves au stade de la sexualité orale (0 à 1 an). Elle signifie presque toujours une situation de dépendance, un problème de communication ou sexuel.

Comment l'interpréter ?

Bouche qui avale : désir de pénétration.

Qui vomit : peur de la pénétration.

Qui suce (un doigt, une glace...) : désir de fellation.

Qui crie : frustration (manque de communication).
Dentée : sentiment d'angoisse ou de castration.

Bouger au ralenti

Fréquence : 17 %

Ce type de rêve est presque toujours anxieux, le signe qu'on est plus ou moins paralysé par les événements, pas libre de faire ou de dire ce que l'on voudrait.

Comment l'interpréter ?

En analysant dans quel domaine de votre vie (une relation, une situation) vous n'arrivez pas à avancer, à réaliser ce que vous voulez.

Voir aussi : *Muet*

Bras

Fréquence : 11,5 %

Dans l'imaginaire onirique, les bras symbolisent la relation, l'accueil, la tendresse. Ils peuvent embrasser, mais aussi étouffer ou rejeter.

Comment l'interpréter ?

Bras fermés (croisés) : frustrations, refus de céder aux sentiments.
Coupés ou brisés : sentiments d'impuissance.
Tentaculaires (pieuvre, fleur carnivore...) : relation étouffante avec la mère.

Articulés (robot, statue...) : relation étouffante avec le père.
Grand singe, arbre : sentiments de sécurité avec le père.
Étoile de mer, fleur : sentiments de sécurité avec la mère.

C

Cape

Fréquence : 8 %

Très à la mode cet hiver (surtout pour les garçons), la cape symbolise le Surmoi (une sorte de préservatif pour le Moi).

Comment l'interpréter ?

En fonction de son poids et de l'ambiance.
Légers : besoin d'assumer, d'exister socialement.
Pesants : sentiment d'avoir des responsabilités trop lourdes (prendre en charge ses parents, par exemple).

Cercle

Fréquence : 31,5 %

Symbole du ciel, le cercle est la figure géométrique la plus présente dans les rêves. En même temps ce qui protège et ce qui enferme, le cercle signifie toujours un désir de transformation, une période d'évolution personnelle.

Comment l'interpréter ?

Anneau : désir ou sentiment d'attache, de fidélité, de permanence.

Collier : désir ou sentiment de dépendance (par rapport à un homme, une situation).

Ballon, balle : besoin d'autonomie (par rapport aux parents, à la société).

Boule, sphère : relation conflictuelle à la mère, à la fois adhésion consciente et fort rejet inconscient.

Bulle : désir de recentrage (sur le Moi), de se protéger (par rapport à son environnement).

Roue : sentiment d'être entraîné dans une situation qu'on n'a pas cherchée.

Chat

Fréquence : 11 %

Le chat est un symbole de liberté intérieure, d'indépendance. À la fois sauvage (des crocs, des griffes comme la panthère, le tigre) et domestique, il est toujours significatif du rapport à la famille.

Comment l'interpréter ?

En fonction de son attitude.

Agressif : craintes liées à un changement familial.

Joueur : désir d'ouverture, adaptation réussie à une situation nouvelle.

Dormant : disponibilité, désir d'émancipation.
Câlin : désirs sexuels.

La première clef des songes

Le premier grand traité sur l'interprétation des rêves date du IIe siècle de notre ère : c'est celui d'Artémidore d'Éphèse, Onirocriticon ou Traité des songes, *qui aurait inspiré Freud. L'*Onirocriticon *condense tout le savoir antique sur la divination par le rêve et servira durant des siècles d'ouvrage de référence. Selon Artémidore, les rêves se divisent en deux grandes classes : le* ***rêve non divinatoire*** *et le* ***songe divinatoire****.*
La première classe se divise à son tour en rêves somatiques, qui concernent seulement le corps, psychiques, concernant seulement l'âme ou mixtes, concernant les deux.
Le songe divinatoire se divise lui-même en deux grandes catégories :

• *La première est constituée par les songes thématiques, où la vision coïncide avec son accomplissement, on rêve qu'un ami lointain nous rend visite et il arrive justement le lendemain.*

• *L'autre grande catégorie est constituée par les songes allégoriques : ce sont « les songes qui signifient certaines choses au moyen d'autres choses : dans ces songes, c'est l'âme qui, selon certaines lois naturelles, laisse entendre obscurément un événement » ou « qui indiquent l'accomplissement signifié au moyen de symboles énigmatiques ». Ces songes allégoriques se divisent eux-mêmes en cinq espèces, selon la personne ou le groupe de personnes concernés par le songe. Ce peuvent être : le rêveur seul, quelqu'un d'autre, le rêveur et quelqu'un d'autre, le public en général, l'univers.*

Chaussures

Fréquence : 8,5 %

Deux fois plus présente dans les rêves de filles que dans ceux des garçons, la chaussure est un symbole sexuel fort (à l'instar de Cendrillon, où le pied peut être associé au pénis et la chaussure au vagin).

Comment l'interpréter ?

Ôter ses chaussures : se libérer de ses inhibitions.
Chaussures rouges : désir de relations sexuelles.
Chaussures qui font mal : insatisfaction sexuelle.
Bottes : sentiments de frustration (tendresse).
De sept lieues : volonté de puissance.

Cheval

Fréquence : 17 %

Dans l'imaginaire, le cheval est, comme le chat, un symbole de liberté. Mais, à la différence du chat, le cheval signifie les élans vers le monde extérieur, notamment le désir d'avoir des aventures sexuelles, comme un homme.

Comment l'interpréter ?

Cheval galopant, sans cavalier ou vous comme cavalier : rejet de vos carcans familiaux et sociaux.

Ailé, comme Pégase : sublimation de vos pulsions et de vos désirs sexuels.

Monté par un cavalier : idéalisation de la libido.

Un ou des cavaliers qui vous chargent : peur d'être agressée sexuellement.

Cheval de pierre, de bois ou de bronze : contraintes (matérielles, sentimentales).

Associé à un symbole paternel (soleil, roi...) : pulsions incestueuses.

Cheveux

Fréquence : 7,5 %

Les cheveux, la chevelure, symbolisent dans vos rêves votre féminité.

Comment l'interpréter ?

Libres, longs : affirmation de votre féminité.

Tressés : désir de contrôle des pulsions féminines.

Coupés : problèmes d'identité (fille ou garçon).

Rasés : atteinte narcissique, sentiment d'impuissance, de castration.

Chien

Fréquence : 16 %

À la différence du chat, qui signifie toujours un changement, le chien est un symbole de stabilité, sauf s'il est lié à un souvenir réel traumatisant (vous avez eu un jour très peur d'un pitbull, été mordue par un yorkshire, etc.).

Comment l'interpréter ?

Chien connu (le vôtre, celui du voisin...) : désir ou sentiment de sécurité.

Inconnu : désir d'évolution, de franchir des limites ; ***si menaçant :*** peur d'une situation nouvelle.

Chiffre 2

Fréquence : 39 %

L'apparition du chiffre 2 dans un rêve sur un mur, une feuille (de Loto) ou la perception d'éléments, qui vont par paire (deux éléphants, deux robinets, etc.) est toujours significative d'une contradiction, d'un choix à faire.

Comment l'interpréter ?

En fonction des autres éléments du rêve, cela peut être un choix sentimental (papa ou maman ? Jules ou Jim ?...), moral (le Bien et le Mal), narcissique (être ou paraître ?), pratique (attendre ou agir ?).

Chiffre 3

Fréquence : 13 %

Le chiffre 3 dans les rêves ou toutes les choses qui vont par trois (3 fleurs, 3 frites dans l'assiette, etc.) est toujours symbolique du triangle familial (« papa, maman et Moi »).

Comment l'interpréter ?

En fonction de la tonalité affective de votre rêve. *Agréable :* repositionnement positif dans le triangle familial (situation qui s'arrange ou résolution du conflit œdipien).

Désagréable : changement négatif dans les relations.

Ciel

Fréquence : 15 %

Bleu ou étoilé, le ciel dans l'imaginaire onirique participe toujours d'une symbolique de renaissance.

Comment l'interpréter ?

Ciel bleu : désir d'innocence, de retrouver son âme d'enfant.

Étoilé : suivre son intuition.

Nuageux : crainte de difficultés, d'ennuis.

Sombre : sentiment de menace.

Orageux : problèmes affectifs avec une personne.

Couronne

Fréquence : 6 %

La couronne dans un rêve signifie le couple, particulièrement l'union papa-maman.

Comment l'interpréter ?

Couronne seule : désir de résolution du conflit œdipien (ou de réunir papa et maman s'ils sont séparés).

Sur une reine, une princesse : identification positive à la mère.

Sur un roi, un prince : reconnaissance de l'autorité paternelle.

Se couronner soi-même : prendre la place de la mère.

D

Dents (perdre ses…)

Fréquence : 7 %

Dans les rêves, les dents sont liées à l'énergie vitale, à l'agressivité, à la combativité (sans dents pour mâcher, les animaux meurent) et au narcissisme (on montre aussi les dents quand on sourit).

Comment l'interpréter ?

Les rêves de perte de dents sont toujours lés à des agressions narcissiques dans la vie quotidienne, à des sentiments d'impuissance et à l'angoisse de castration.

Peut-on classer les rêves ?

Nos rêves n'ont pas tous la même consistance. Certains semblent plus réels que d'autres : on a vraiment l'impression que ce qui se passe arrive en vrai. Ils n'ont pas non plus tous le même poids : certains nous interpellent plus que d'autres.

400 ap. J.-C., Macrobe, philosophe et philologue latin, auteur des Saturnales *et du* Commentaire au songe de Scipion, *distingue déjà cinq grands types de rêve :*

- Insomnium *en rapport avec les soucis, les peurs, l'excès de nourriture ou de boisson, rêves communs et sans significations et intérêts.*
- Visum *ou* phantasma, *c'est-à-dire les rêveries et hallucinations du demi-sommeil.*
- Oraculum, *les rêves divinatoires, envoyés par les Dieux à leurs émissaires.*
- Visio, *les rêves prophétiques, qui s'expriment d'une manière claire.*
- Somnium, *les rêves énigmatiques, qui nécessitent une interprétation.*

Au XIIe siècle, Alcher de Clairvaux, un moine cistercien, a repris presque à l'identique cette classification, qui est toujours d'actualité.

Descendre

Fréquence : 19 %

Des escaliers, à la cave, dans un gouffre… signifie presque toujours un besoin de renouer (d'explorer pour comprendre) avec ses pulsions instinctuelles.

Comment l'interpréter ?

En fonction de la tonalité affective de votre rêve : souvent angoissante, car ce qui se cache au fond (les désirs, l'agressivité refoulés…) fait toujours un peu peur.

Désert

Fréquence : 4 %

Le désert, dans notre imaginaire, est à la fois un lieu de désolation et de mort, et un lieu de puissance et de renouvellement.

Comment l'interpréter ?

En fonction de la tonalité du rêve.

Brûlant, stérile : sentiment de solitude morale, affective ou psychologique (se sentir abandonné, incompris…), craintes de souffrance, de pénurie.

Oasis, palmiers, puits : sortie d'un « tunnel », fin d'une mauvaise expérience, sentiments d'espoir.

Chameau : bonne adaptation au réel.

Voir aussi : *Sable*

E

Eau

Fréquence : 41 %

À la fois ce qui protège, qui nourrit et qui lave, l'eau est le symbole féminin par excellence.

Comment l'interpréter ?

Lacs et mares (eaux stagnantes) : besoin de faire une pause, de retrouver un équilibre intérieur personnel.

Fleuves et rivières : désir de maternité (ils vont tous à la mer-mère).

Voir aussi : *Mer*

Église

Fréquence : 9 %

L'église (le temple, la synagogue, la mosquée), même quand on n'est pas spécialement croyant, c'est l'endroit du recueillement sur soi-même, le sanctuaire que chacun a en lui.

Comment l'interpréter ?

Aller dans une église : besoin d'être rassuré, de trouver la paix (par rapport à une situation conflictuelle).

Arriver en retard ou trouver porte close : sentiment d'être différent des autres, pas en phase dans ses relations, crainte d'être rejeté.

Ne pas trouver une église : manque de confiance en ce qu'on est, qu'on dit ou qu'on fait (ou veut faire).
Murmurer des prières : sentiments d'inquiétude.

Étoile

Fréquence : 15 %
L'étoile, dans l'imaginaire, est une force féminine (comme l'eau, la lune, etc.), mais elle symbolise le féminin mystérieux, imprévisible.
Comment l'interpréter ?
Dessinée ou découpée : méfiance vis-à-vis de sa propre féminité, attitude psychorigide.
Dans le ciel : désir de se réaliser comme femme ou accomplissement de sa propre féminité.
Étoile de mer : identification positive à la mère.
Étoile à quatre branches : difficulté de devenir autonome par rapport à la mère.

Examen

Fréquence : 22 %
Les « rêves d'examen » sont souvent associés à des situations dans lesquelles nous ne sommes pas encore adultes : concours, examens, baccalauréat. Selon Freud, ces rêves sont là pour nous rassurer, car ils nous montrent qu'adulte, on peut traverser des épreuves et surmonter des obstacles.

Comment l'interpréter ?

Ne pas être prêt pour un examen : sentiments de culpabilité, de ne pas avoir fait ce qu'on avait à faire, tenu une promesse, un engagement.

Être en retard pour un examen : se sentir contraint à faire quelque chose qu'on n'a pas envie de faire, « traîner la patte ».

Rater un examen : ne pas se sentir à la hauteur de ses prises de risque ou responsabilités, crainte de mal faire et peur de rater quelque chose…

F

Faire l'amour

Fréquence : 8 %

Encore plus que les autres rêves, nos rêves érotiques cachent souvent beaucoup plus qu'ils ne montrent. Ne prenez jamais les choses au premier degré.

Comment l'interpréter ?

Faire l'amour en privé : rêve « *hot* », éventuellement expression de désirs refoulés (sadomaso, exhibo, etc.).

En public : provocation ou inhibitions (spectateurs : parents).

Avec un inconnu : désir incestueux pour le père.

Voir des inconnus faire l'amour : interrogations sur la sexualité de papa-maman (inconnus : parents).

Fantôme

Fréquence : 2 %

Le fantôme symbolise la frontière entre le monde visible/conscient et monde invisible/inconscient.

Comment l'interpréter ?

Menaçant : pulsions, sentiments refoulés.

Sympathique : réalisation d'un désir.

Lié à un parent disparu : travail de deuil.

Femme

Fréquence : 24,5 %

L'apparition d'une femme anonyme dans un rêve est toujours révélatrice de votre propre image féminine (anima) personnelle.

Comment l'interpréter ?

Très jolie : restauration du narcissisme personnel.

Très laide : dégradation de votre image narcissique.

Très âgée : angoisse métaphysique.

Femme d'âge moyen qui regarde vers vous : renvoie à un regard maternel.

Femme âgée qui regarde ailleurs : renvoie à une relation mère-enfant dans un contexte de malaise.

Femme enlaçant un homme qui se détourne : renvoie à une relation de couple conflictuelle, voire à d'éventuels conflits œdipiens.

D'où vient le mot cauchemar ?

Cauchemar. n.m. Nom que donne le peuple à une certaine maladie ou oppression d'estomac, qui fait croire à ceux qui dorment que quelqu'un est couché sur eux : ce que les ignorans croyent estre causé par le malin Esprit. En latin Incubus, Ephialtis *en grec.* In Dictionnaire Furetière, *édition 1690.*

Le mot cauchemar vient de cauquemaire, *formé de* caucher *(de l'ancien français* chauchier, *fouler, presser) et de* mare *(fantôme), emprunté au moyen néerlandais avec le même sens en allemand et en anglais. La mara ou mare est un spectre femelle malveillant dans le folklore scandinave. Utilisé dès le XVe siècle, il a eu une orthographe différente en fonction des époques :* cochemare *(1694),* cochemar *(1718) et des régions :* cauchemare, cauquemare *(Picardie),* cauquevieille *(Lyon),* chauchi-vieilli *(Isère),* chauche-vieille *(Rhône),* chaouche-vielio *(Languedoc)...*

Hippocrate, l'auteur du fameux serment que prêtent les médecins, employait le terme éphialtès *(du grec : se jeter sur) pour désigner le cauchemar. C'est lui qui, le premier, décrit les symptômes du cauchemar.*

En latin, le terme incubus, *qui se traduit par « couché sur », désignait initialement un démon de sexe masculin qui avait des relations sexuelles avec les femmes endormies.*

Feu

Fréquence : 19 %

Il réchauffe, il éclaire, mais il peut détruire aussi… Le feu est toujours, dans les rêves, significatif d'un désir de changement, d'évolution personnelle (des choses, d'une situation, de soi…).

Comment l'interpréter ?

Bougie : désir ou sentiment de continuité (prendre le relais des parents, désirer des enfants…).

Flambeau, torche : désir d'éclaircissements (sur soi, les événements…).

Cheminée : besoin de foyer, de refuge, d'intimité, mais aussi désir/peur de pénétration (sexuelle).

Charbon : manque, frustrations sexuelles, voire sentiments de frigidité.

Bûcher : désir de virginité.

Feu d'artifice : désir, besoin de bouger, d'avancer, d'évoluer (matériellement et psychologiquement).

Éclair (le feu qui descend du ciel) : culpabilité par rapport au père, à la loi.

Incendie : manque de contrôle émotionnel, agressivité potentielle.

Fleur

Fréquence : 22,8 %

En bouquets, dans un champ, sur un tissu, du papier peint… les fleurs sont toujours liées dans nos rêves à une problématique de réalisation : elles expriment un besoin d'évolution personnelle.

Comment l'interpréter ?

Contempler une fleur : acte de foi, envie de voir les choses (une situation, un homme…) naïvement.

Donner une fleur : besoin, désir de faire confiance à quelqu'un.

Cueillir une fleur : désir de sacrifice (perdre sa virginité, ses illusions…).

Fleur carnivore : mère castratrice.

Forêt

Fréquence : 19,5 %

La forêt de nos rêves signifie une initiation. Elle nous confronte à l'inconnu et à nos peurs. Comme aux temps anciens, c'est un lieu de passage (obligatoire) et de tous les dangers.

Comment l'interpréter ?

En fonction de ce que vous éprouvez. Peur du grand méchant loup (ou de tous les animaux sauvages, bûcherons compris) : peur de la sexualité. Ou, au contraire, pulsions homosexuelles.

Frère

Fréquence : 5,5 %

Dans les rêves, le frère joue parfois son propre personnage, mais il représente souvent un substitut paternel : ce qui se passe avec lui est révélateur des sentiments et des désirs que l'on éprouve pour son père.

Comment l'interpréter ?

Frère cadet : sentiments de jalousie et, parfois, violente agressivité contre la mère (qui l'a mis au monde).

Frère aîné : ambivalence entre rejet/désir du père, si relation conflictuelle.

G

Grand-mère

Fréquence : 11 %

Dans les rêves, la grand-mère (ou une vieille femme) vaut parfois pour elle-même, mais elle symbolise plus souvent la mère punitive ; elle est d'ailleurs fréquemment ressentie comme une menace.

Comment l'interpréter ?

Maternelle : angoisse de culpabilité par rapport à la mère (à cause de la rivalité œdipienne).

Paternelle : angoisse de castration ou de la mort.

Associée au grand-père : troubles d'identité ou levée d'inhibitions.

Grand-père

Fréquence : 7 %

À la différence de la grand-mère, le grand-père renvoie à une relation de complicité (comme dans les pubs). Il incarne le monde de l'enfance, du souvenir, des émotions retrouvées.

Comment l'interpréter ?

Deux possibilités.

Votre rêve est lié à des événements de votre vie quotidienne : votre grand-père se contente de jouer son propre rôle.

Il ne l'est pas : votre grand-père est un substitut positif de votre père : disparition des sentiments de culpabilité envers ce dernier.

H

Homme

Fréquence : 20 %

Un homme dans votre rêve (même sans visage) représente votre composante masculine. Sauf si c'est quelqu'un que vous connaissez (parent, chéri, boucher du coin…) ou un personnage fonctionnel (président, bûcheron, roi, prêtre…).

Comment l'interpréter ?

En fonction de la tonalité affective de votre rêve.

Agréable : intégration réussie de votre part masculine (pour les garçons : affirmation de la virilité).

Désagréable : refus du masculin en soi (pour les garçons : affirmation de la part féminine).

I

Inondations

Fréquence : 12 %

Ce type de rêve a presque toujours rapport avec nos émotions. La question qu'il pose : « Comment pourrais-je mieux comprendre, accepter et ressentir mes émotions ? »

Comment l'interpréter ?

En analysant sa situation actuelle, particulièrement ses rapports affectifs avec les autres (conjoint, parents, enfants…). Pourquoi se sent-on débordé, emporté par les événements pour pouvoir reprendre le contrôle de sa vie ?

Voir aussi : *Tsunami*

J

Jardin

Fréquence : 10 %

Comme la maison, les jardins de nos rêves représentent aussi notre Moi (même souvent dans les rêves des jardiniers). L'état du jardin est le reflet de notre personnalité à un moment donné.

Comment l'interpréter ?

Jardin fleuri : sentiments de joie, de bonheur, dynamique de réussite et de chance.

Clôturé : sentiment d'être aidé, soutenu.

À l'abandon : sentiments de malchance, de tristesse, de solitude.

Présence d'un intrus : sentiment que quelqu'un s'immisce dans votre vie privée.

Voir aussi : *Maison*

Jaune

Fréquence : 29 %

Dominant dans un rêve (lumière dorée, champ de blé, miel…), le jaune symbolise la vie, l'amour (fusion) et la nourriture.

Comment l'interpréter ?

Jaune seulement : frustration de l'amour maternel ou, au contraire, rétablissement de la relation mère-fille : tout dépend de la tonalité affective de votre rêve.

Associé à du vert : rétablissement d'une relation positive à la mère et/ou à la maternité.

Les clefs des songes au fil des siècles

Malgré leur condamnation par l'Église, de nombreux traités de divination des songes ont été publiés au cours des siècles. Par exemple, on peut lire dans La Physionomie des songes *et* Visions fantastiques des personnes, *de Jean Thibault (astrologue lyonnais, Lyon, 1530).*

Arbres abattus par terre signifie dommage.
Songer estre un arbre signifie maladie.
Avoir la barbe rasée signifie tribulations.
Avoir la barbe longue signifie force ou gain.
Avoir beau bras signifie tristesse.
Avoir les bras secs est très mauvais signe.

Boire de l'eau claire signifie plaisir.
Boire de l'eau puante signifie grosses maladies.
Broyer ou piler du poivre signifie mélancolie.
Chaussure neuve signifie consolation.
Chaussure vieille signifie tristesse.
Voir chandelle allumée signifie ire ou querelles.
Couper du lard signifie la mort de quelqu'un.
Cueillir des raisins signifie dommage.
Donner un anneau signifie dommage.
Voir dragon signifie guin.
Escrire sur du papier signifie quelque accusation.
Voir la lune tomber du ciel signifie maladie.
Ouyr crier un corbeau signifie tristesse.
Voir un âne signifie malice.
Voir un moine signifie malheur.

L

Lune

Fréquence : 10 %

Dans l'inconscient, la lune se confond avec la mère (son symbole par excellence) et la féminité.

Comment l'interpréter ?

Pleine lune : sentiments coupables provoqués par la

rivalité avec la mère (pour les garçons : désirs œdipiens pour la mère).
Croissant de lune : réconciliation avec la mère.
Avancer vers la lune : besoin de tendresse.
Entrer dans la lune : se prendre pour sa mère (pour les garçons : désir d'être une fille).

Lunettes

Fréquence : 4 %
Voir : *Yeux*

M

Mains

Fréquence : 28 %
Sauf quand elles ont une fonction purement utilitaire, les mains dans les rêves expriment presque toujours une relation conflictuelle avec le monde extérieur.
Comment l'interpréter ?
Fermées : pulsions agressives.
Ouvertes : besoin de communication (en fonction du ou des personnages que vous voyez).
Tendues : désir de se réconcilier avec sa mère.
Gantées : besoin de se réconcilier avec son père.

Jointes : dénouement d'une situation conflictuelle (familiale, sociale...).
Associées à un volant, d'un guidon, des rênes... : besoin de contrôler les événements, de maîtriser une situation.

Maison

Fréquence : 19 %
La maison, dans les rêves, représente le Moi. Elle est d'ailleurs souvent associée au temps de l'enfance, à la famille. Et signifie presque toujours une interrogation sur soi.
Comment l'interpréter ?
Regarder par la fenêtre (du dehors) : envie, mais en même temps peur de découvrir des choses sur soi.
Entrer dans la maison (entrer en soi) ou si vous explorez des pièces jusque-là inconnues : besoin d'introspection, de résoudre un problème personnel.
Salle à manger (foyer) : recherche d'intimité, de comprendre ses réels sentiments.
Grenier : recherche de sens, besoin d'explications (rationnelles, spirituelles...).
Cave : plongée dans l'inconscient, exploration des pulsions et des désirs profonds.
Maison qui s'écroule, en ruine : difficulté à « tenir debout » dans sa vie, tonalité un peu dépressive.

Maison en travaux : besoin de se reconstruire.

Mer

Fréquence : 34 %

La mer de nos rêves est le grand symbole maternel par excellence. À cause de l'euphonie mer-mère, mais aussi parce que la vie, celle des mammifères (vous, moi), à l'origine, vient de la mer et que, fœtus, nous avons tous barboté neuf mois (pas vous ?) dans les eaux maternelles.

Comment l'interpréter ?

En fonction de la tonalité affective de votre rêve.

Vous nagez, vous faites la planche : acceptation de votre féminité (même pour les hommes).

Vous plongez, vous nagez sous l'eau : communication avec votre inconscient, régression légère (pour se ressourcer).

Vous vous noyez : peur de vos pulsions profondes, parfois de la maternité (pas de panique, ce n'est pas pour demain).

Vous coulez : vous vous prenez pour Leonardo DiCaprio.

Mère

Fréquence : 23 %

La mère se manifeste souvent dans nos rêves sous des formes symboliques : la lune, une reine, une biche…

Quand elle apparaît à visage découvert, elle est souvent ambivalente : à la fois elle-même et un symbole de maternité.

Comment l'interpréter ?

Trois possibilités.

Elle joue son rôle de mère comme dans la vie quotidienne : RAS.

Elle apparaît dans un scénario chargé d'éléments négatifs : sentiments de rivalités (réciproques).

La charge de votre rêve est agréable : identification positive, désir de maternité.

Miroir

Fréquence : 10 %

Au premier degré, le miroir est un symbole narcissique (« dis-moi qui est la plus belle »). Au second degré, il signifie presque toujours un désir de voir (et d'aller) au-delà des apparences.

Comment l'interpréter ?

En fonction de ce que vous voyez.

Vous vous trouvez moche (les miroirs des rêves sont plus déformants que les miroirs réels) : refus de votre féminité.

Vous ressemblez à Laeticia Casta : narcissisme triomphant.

Vous ne vous voyez pas : vous êtes un vampire.

Montagne

Fréquence : 21 %

La montagne, c'est le symbole de l'immuable et, souvent dans nos rêves, un symbole phallique.

Comment l'interpréter ?

En fonction directe des sentiments qu'elle vous procure : crainte, respect, impression d'être écrasé, envie de gambader, etc.

Monter

Fréquence : 14 %

Monter des escaliers, gravir une falaise, grimper… signifie toujours un désir de dépassement (de soi, de ses propres limites), un besoin de s'extirper de tout (les autres, une situation, ses blocages personnels…) ce qui cloue au sol.

Comment l'interpréter ?

En fonction de la tonalité affective de votre rêve : difficultés pour avancer (les escaliers se resserrent), angoisse en regardant en bas ou, au contraire, facilités, sentiment de libération.

Mort

Fréquence : 19 %

L'apparition de la Mort (drapée de noir, avec faux, etc.) dans un rêve marque toujours la fin d'un cycle ou d'une situation personnelle. Les rêves d'adieux à des personnes décédées sont assez fréquents et apportent souvent un apaisement.

Comment l'interpréter ?

Plus ressentie que vraiment vue, à peine entraperçue : refus de se débarrasser du passé, de rompre, angoisse de séparation.

Rêver de sa propre mort : signe de renouvellement, de fin d'une situation personnelle qui n'a plus lieu d'être, acceptation d'aller de l'avant, de prendre un nouveau départ.

Moyen Âge

Fréquence : 6 %

Dans les rêves, le Moyen Âge symbolise une période qui va du début de la puberté à la fin de l'adolescence. Il renvoie presque toujours aux tourments de la confrontation œdipienne avec ses élans contradictoires (désirs et angoisses).

Comment l'interpréter ?

En fonction de la tonalité angoissante ou non du rêve (fixation ou résolution de la situation œdipienne) et des autres éléments fréquemment présents (roi, reine, épée, croix, château fort…).

Muet (être...)

Fréquence : 7 %

Comme les rêves où l'on avance au ralenti ou dans lesquels on est paralysé, c'est toujours l'expression d'un malaise.

Comment l'interpréter ?

En fonction de votre ou vos interlocuteurs (devant qui vous êtes muet) et de ce que vous n'arrivez pas à dire dans votre rêve.

Mur

Fréquence : 18,5 %

Dans les rêves, comme dans la vie, le mur est d'abord un symbole de séparation. Il représente presque toujours un obstacle, personnel (intérieur) ou objectif, à franchir.

Comment l'interpréter ?

En fonction de ce qui se passe dans votre rêve.

Tant que vous essayez de le contourner, de l'escalader ou de creuser dedans sans succès, c'est que vous n'arrivez pas à dépasser votre problème.

En revanche, dès que vous arrivez à passer de l'autre coté, le problème est réglé : vous êtes libéré.

Le plus vieux rêve connu

Un des plus anciens témoignages oniromanciens remonte à trois mille ans avant Jésus-Christ. À cette époque, dans le bassin Mésopotamien, on assistait aux faits et gestes d'un grand héros appelé Gilgamesh.

« J'ai rêvé qu'une montagne m'ensevelissait, dit Gilgamesh, mais voici qu'apparaît un homme d'une beauté exceptionnelle qui me libère des rochers et me relève. » Dans l'épopée de Gilgamesh, Enkidu, qui après avoir combattu le héros était devenu son plus fidèle compagnon, interprète le rêve : « La montagne est l'Humbaba monstrueux (le mal) qui tombera sur nous, mais nous réussirons à nous sauver et nous l'abattrons. »

N

Nager

Fréquence : 12 %

Voir : Eau, Mer

Noir

Fréquence : 51 %

Envahissant dans un rêve (nuit, décors…), le noir est ambivalent : à la fois le symptôme que quelque chose ne va pas (révèle un état névrotique) et un signe d'évolution positive, de rétablissement.

Comment l'interpréter ?

Noir seul : dégradation de la relation aux parents, notamment du rapport au père.

Associé à du jaune : sentiments ambivalents envers le père (désir/peur) et culpabilité œdipienne.

Noire (masse...)

Fréquence : 3 %

La perception de masses noires dans les rêves est toujours chargée d'une tonalité désagréable.

Comment l'interpréter ?

Ce sont des rêves d'angoisse (par exemple : de la neige sale, une tête de mort), de dépression (des ruines d'incendie, une forêt pétrifiée...) ou d'agression (un orage menaçant, un fantôme tout noir...).

Nudité

Fréquence : 14 %

Souvent la nudité intervient au beau milieu d'une foule. Elle n'a en soi rien de sexuel. Elle touche au narcissisme, autrement dit à l'estime de soi pour le côté positif ou à l'obsession de soi, l'égotisme, pour le côté négatif.

Comment l'interpréter ?

Accompagnée de sentiments de honte : vulnérabilité aux regards des autres, complexe social, timidité ou sentiments de culpabilité.

Non liée à un sentiment de honte : sentiment de sa différence (dans le sens positif), débarrassé des contraintes, affranchi des conventions habituelles.

O

Objets

Fréquence : 11 %

Sauf profession technique directement en rapport, l'apparition d'objets de manière récurrente dans les rêves (surtout objets pointus, armes, pinces et objets creux, vases, urnes, etc.) n'est pas de bon augure.

Comment l'interpréter ?

C'est la plupart du temps le signe d'une régression (crise d'infantilisme aiguë) ou d'obsessions de type sexuel.

P

Para-humains

Fréquence : 6 %

L'apparition de formes (tout ou partie) para-humaines (fantôme, sorcier, ange, démon, portrait, etc.) dans les rêves est toujours liée, sauf si on est un adepte des jeux de rôles, à une crise anxieuse.

Comment l'interpréter ?

C'est souvent le signe d'une immaturité affective, d'un manque de confiance en soi ou de réactions infantiles dans une situation donnée.

Parc

Fréquence : 3 %

Voir : *Jardin*

Pénis

Fréquence : 3 %

Le pénis dans les rêves des filles n'a souvent rien d'un objet érotique : il n'est pas là pour le plaisir, mais pour signifier le désir.

Comment l'interpréter ?

Deux possibilités :

(1) exprime une revendication (du pénis), un désir de

revanche sur les garçons, une envie de bébé ou une rivalité sexuelle avec un autre homme (père, frère...). (2) Il révèle une relation œdipienne au père (désir d'être prise par lui).

Père

Fréquence : 21 %

Comme la mère, le père est souvent codé (le soleil, le roi, le lion, un grand singe...) dans nos rêves. Quand il se manifeste en clair, il est soit lié à un épisode de la vie quotidienne, mais sans signification particulière. Ou alors, il marque un moment particulier de l'évolution personnelle.

Comment l'interpréter ?

En fonction de la tonalité affective de votre rêve.

Malaise : angoisse et sentiment de castration.

Bien-être : résolution des sentiments œdipiens et prise d'autonomie personnelle.

Petite fille

Fréquence : 12 %

Une petite fille (3 à 12 ans) renvoie à la joie des temps heureux ; elle est souvent significative des premières blessures affectives de la petite enfance.

Comment l'interpréter ?

Associée à des parents (père, mère, grand-père...), elle

vous représente directement : ce qui lui arrive dans votre rêve, c'est ce qui vous arrive à vous.

Non liée à des figures parentales : désir de reconquérir une liberté perdue, de vous émanciper des interdits familiaux.

Petit garçon

Fréquence : 6 %

À la différence des petites filles, les petits garçons de nos rêves renvoient à une problématique d'incertitude, d'irrésolution. Ils expriment presque toujours un obstacle, une hésitation.

Comment l'interpréter ?

Connu (cousin, copain de CM2, etc.) : substitut du frère.

Anonyme, c'est vous : marque souvent le regret de ne pas être soi-même un garçon (de ne pas pouvoir tout faire), révèle une frustration, un sentiment de castration.

Pieds

Fréquence : 19 %

Dans l'imaginaire, les pieds manifestent presque toujours une contradiction entre désirs physiques (instinctifs, sexuels, matériels) et spirituels (liberté, indépendance).

Comment l'interpréter ?
Nus : sentiment de liberté (reconquise ou sur le point de l'être).
Attachés : sentiments d'impuissance.
Palmés : angoisse sexuelle, sentiment de castration.
Coup de pied : désir de révolte, rejet de ce que vous avez adoré.

Pierre

Fréquence : 16 %
Cailloux, rochers ou menhirs, les pierres dans nos rêves sont toujours liées au poids du corps ou à une situation pesante.
Comment l'interpréter ?
Cailloux en général : sentiment de pétrification à la suite d'une agression (extérieure ou maladie) ou d'un deuil.
Pierres dressées (menhir, dolmen…) : désir d'élévation, de se sortir d'une situation pourrie.
Jeter des pierres : se débarrasser de tout ce qui vous pèse (contraintes matérielles, culturelles, etc.).
Pierres précieuses : désirs m'as-tu-vu si vous les cherchez, d'authenticité, si vous en trouvez.
Galets : régression dans le ventre maternel.
Rochers (grottes, cavernes…) : retour au ventre maternel afin de renaître.

Plage

Fréquence : 16 %

Voir : *Sable*

Poisson

Fréquence : 15 %

La symbolique du poisson, ou plutôt des poissons, car dans nos rêves ils sont souvent plusieurs, est inséparable de la symbolique maternelle. L'équation est simple : poisson/eau : vous (fœtus)/eaux intra-utérines.

Comment l'interpréter ?

Poissons d'eau douce, remontant la rivière : votre mère vous manque (même et surtout si vous vivez sous son toit) ; ***descendant le courant :*** besoin de vous libérer de l'autorité maternelle.

Poissons d'eau de mer : très positif, sauf si sentiment d'angoisse : plongée dans les émotions les plus profondes, ressourcement psychique.

À quoi rêvent nos amis les bêtes ?

On a tous vu son chat, son chien ou son lézard s'agiter dans son sommeil, pousser des petits couinements et on s'est dit « Tiens, il a l'air de rêver ! » Tous les animaux rêvent, même les dauphins qui ne dorment jamais que d'un œil (un hémisphère ou l'autre de leur cerveau est toujours « allumé »).

Mais de quoi rêvent-ils ? On s'est longtemps posé la question. Aujourd'hui, on a la réponse.

Des spécialistes de la mémoire au Massachusetts Institute of Technology ont enregistré l'activité cérébrale de plusieurs rats pendant leurs rêves. Les résultats sont surprenants ! C'est la copie conforme de l'activité cérébrale enregistrée pendant la journée précédente… On avait fait courir le rat sur une roue en lui offrant une récompense. Autrement dit, les animaux revivent en rêve leurs actes de la veille. Comme nous, ils « révisent » !

Porte

Fréquence : 16 %

Comme le mur, les portes de nos rêves nous montrent le passage à franchir, signifient ce qu'on veut ignorer ou découvrir de nous-mêmes : elles cachent pour mieux révéler.

Comment l'interpréter ?

Porte close : agressivité, pulsions refoulées.

Porte qui s'ouvre d'elle-même : acceptation de soi-même, de ses pulsions.

Porte qui s'ouvre sur rien (vide, néant, noir absolu) : angoisse existentielle engendrée par le doute.

Poupée

Fréquence : 3 %

Barbie ou pas, la poupée, dans un rêve, symbolise la petite fille triste. Elle représente la somme des interdits que vous subissez ou que vous vous imposez, la prison des conformités (sexuelles, sociales, culturelles…).

Comment l'interpréter ?

Deux possibilités :

Sentiment que ça n'avance pas dans votre tête, dans votre vie.

Sentiments de culpabilité, parfois liés à la disparition d'un petit frère ou d'une petite sœur.

Poursuite

Fréquence : 14 %

Tout ce qui nous poursuit ou nous attaque dans nos rêves représente généralement un aspect sombre de notre personnalité et qu'il serait référable d'intégrer et d'exprimer de façon claire, rationnelle.

Comment l'interpréter ?

Deux possibilités :

Vous voyez qui vous poursuit. Auquel cas, c'est une culpabilité relative à la personne qui vous poursuit. Ou si c'est un animal, une peur de vos propres pulsions animales (agressivité, rage…).

Vous ne voyez pas qui vous poursuit : c'est un rêve d'anxiété, lié à des peurs particulières, par exemple surtout dans les rêves de garçons, la peur d'une éventuelle homosexualité.

Prince

Fréquence : 1 %

Très présents dans les contes de fées et les films, les princes, comme les princesses, se manifestent rarement quand on dort. Ils marquent toujours un moment d'éveil, d'évolution personnelle.

Comment l'interpréter ?

Trois possibilités :

Exprime une attente.

Marque le passage de l'adolescence à l'âge adulte.

Révèle votre part masculine (animus).

Prisonnier

Fréquence : 9 %

Ce type de rêve a presque toujours une tonalité désagréable, pose la question « Qu'est-ce qui dans ma vie m'emprisonne ? », « Comment puis-je m'ouvrir à de nouvelles façons de penser, d'agir ? »

Comment l'interpréter ?

Voir un prisonnier : sentiments de culpabilité, crainte

d'une sanction (on n'a pas fait ou mal fait ce qu'on avait à faire).
Être prisonnier : se sentir enfermé, coincé dans une situation ou une manière de penser, vouloir s'échapper.

R

Reine

Fréquence : 3 %
La reine est le symbole de l'idéal féminin (anima). Elle représente la mère.
Comment l'interpréter ?
Associée à des éléments positifs (palais, bijoux, couronne…) : désir de séduire, d'épouser le père, d'usurper la place maternelle.
Chargée négativement (menaçante, virant à la sorcière…) : angoisse à l'idée de prendre la place de sa mère.

Rouge

Fréquence : 41 %
Dominante dans un rêve, la couleur rouge est un symbole de vie, d'amour (passion) ou de violence.
Comment l'interpréter ?
Seul : pulsions, désir d'ouverture sur les autres, d'enga-

gement dans le monde, période cruciale dans l'évolution personnelle.
Associé à du jaune : résolution du conflit œdipien, intégration en soi de la part féminine et masculine.
Opposé au noir : désir de pénis, pulsions agressives, névrose sexuelle.

S

Sable

Fréquence : 23,5 %
Rêves de désert ou de plage, le sable dans l'imaginaire est lié à l'image maternelle, et parfois symbolise l'écoulement du temps.
Comment l'interpréter ?
Dunes : ventre maternel, désir de renouveler l'expérience fusionnelle.
Sables mouvants : mère étouffante.
Sables noirs : gros blocage dans la relation avec la mère, le rapport à la maternité.

Sang

Fréquence : 11 %
Dans les rêves, le sang, c'est la vie, l'émotion, la passion.

Comment l'interpréter ?
Voir ses veines, ses artères : besoin d'introspection, d'intimité.
Verser du sang : besoin de changement dans une relation.
Perdre son sang : désir de renouvellement personnel.
Hémorragie : besoin de purification.
Voir une flaque de sang : sentiments de culpabilité liés à la sexualité (sang menstruel, de la défloration, d'une interruption de grossesse volontaire ou non).
Égratignures : rééquilibrage émotionnel.

S'envoler

Fréquence : 7 %
Ce genre de rêve s'accompagne souvent d'un sentiment de jubilation : on se libère de la pesanteur, on montre aux autres, quand il y a un public, qu'on est différent.
Comment l'interpréter ?
Ce peut être lié à la sexualité (sentiment de toute puissance, de prendre les autres de haut), mais aussi une envie de se débarrasser de ses contraintes ou une recherche de spiritualité qui permet de voir les choses d'un autre point de vue.
Voir aussi : *Voler dans le ciel*

Serpent

Fréquence : 13 %

Le serpent (qui a tenté Ève) symbolise le désir. Il a, bien sûr, une signification phallique (pas besoin de vous faire un dessin) et une valeur initiatique : le serpent/phallus métamorphosant la jeune fille en femme.

Comment l'interpréter ?

En fonction de son attitude et de son environnement.

Menaçant : pulsions refoulées, angoisses sexuelles ou crainte de la sexualité (si vous êtes vierge).

Non menaçant : désir de perdre sa virginité ou de transgression des interdits, si vous l'avez déjà perdue.

Associé à un symbole paternel fort (soleil, roi…) : désir du père ; à un symbole maternel (Lune, reine…) : rivalité sexuelle.

Sept proverbes sur les rêves

De tout temps, le rêve a inspiré de nombreux adages. À méditer en rêvassant :

> *Rêver de mort, bonnes nouvelles des vivants.*
>
> *Proverbe anglais*
>
> *Quand on rêve vrai, on meurt dans l'année.*
>
> *Proverbe breton*

Le chemin le plus court pour aller d'un point à un autre n'est pas la ligne droite, c'est le rêve.

Proverbe malien

Si vous voulez que vos rêves se réalisent, ne dormez pas !

Proverbe juif

C'est dormir toute la vie, que de croire à ses rêves.

Proverbe chinois

Celui qui regarde longtemps les songes devient semblable à son ombre.

Proverbe indien

Les rêves d'un chat sont peuplés de souris.

Proverbe libanais

Sirène

Fréquence : 2 %

La sirène représente un retour aux eaux maternelles et une plongée dans l'inconscient perso.

Comment l'interpréter ?

Échouée ou qui a des difficultés à se mouvoir : insatisfaction sexuelle.

Nageant, se délassant : levée des inhibitions sexuelles (liées aux interdits).

Sœur

Fréquence : 6,5 %

Le plus souvent dans un rêve, elle joue son propre rôle, mais elle sert parfois aussi de substitut maternel ou personnel.

Comment l'interpréter ?

Cadette : sentiments de rivalité, de jalousie (d'autant plus si complicité dans le rêve).

Aînée : substitut de la mère, déplacement des projections œdipiennes.

Associée à des parents (père, mère...) : c'est vous. Ce qui lui arrive, c'est ce qui pourrait vous arriver.

Soleil

Fréquence : 36 %

Chaleur et lumière, principe masculin, le soleil est le symbole par excellence du père, comme la lune l'est de la mère.

Comment l'interpréter ?

Plein soleil agressif (qui brûle) : difficulté à supporter l'autorité paternelle.

Plein soleil bienveillant (qui réchauffe) : sentiment d'être protégé par le père.

Soleil levant : dissipation des angoisses, des problèmes.

Soleil couchant : sentiments dépressifs.

Avancer vers le soleil : manque ou désir du père.
Rentrer dans le soleil : désir d'être un homme.
Soleil noir : relation conflictuelle avec le père.
Éclipse : conflit avec les deux parents.

Sommeil

Fréquence : 6 %

Pour rêver, il faut dormir (pas toujours), mais le sommeil est parfois aussi un élément du rêve : on rêve qu'on rêve exactement comme on voit des éléphants roses (arrêtez de fumer la moquette !).

Comment l'interpréter ?

S'endormir (en rêve) : besoin de refaire ses forces.
Se réveiller : refus du rêve qu'on est en train de faire, tentative (ratée) pour lui échapper.

Sorcière

Fréquence : 4 %

Dans les rêves, comme dans les contes, la sorcière est une image maternelle négative (l'envers de la fée).

Comment l'interpréter ?

Menaçante (envers vous ou envers d'autres) : sentiments de culpabilité, liés au désir d'éliminer la mère.
Volante (balai-brosse) : pulsions d'agressivités.

T

Tête

Fréquence : 27 %

Au premier rang des images corporelles dans les rêves, la tête (humaine ou animale) symbolise le mental, l'intelligence, (corps : pulsions, instincts).

Comment l'interpréter ?

Coupée (détachée du corps) : insatisfactions, frustrations (rupture entre la raison et les sentiments).

Coupée (sans corps) : sentiments de castration, pulsions agressives.

Corps décapité (sans tête) : problèmes d'identité : « qui je suis, où je vais ? » (perdre la tête : perdre le Nord, la boussole…).

Toilettes

Fréquence : 4 %

Les rêves de toilettes ont toujours à voir avec notre intimité, l'image de soi.

Comment l'interpréter ?

Flâner aux toilettes : sentiment de bien-être, d'intégrité psychique.

Chercher des toilettes : sauf besoin physiologique dans le sommeil, c'est le signe que le rêveur doit se débar-

rasser de sentiments ou de relations qui l'encombrent.
S'endormir dans les toilettes : besoin d'échapper à une réalité donnée ou peur d'oublier quelque chose d'important.
Un intrus dans ses toilettes : levée d'inhibitions ou de tabous qui nous complexent.

Tomber

Fréquence : 13 %

Malgré la crainte, il y a souvent dans ce genre de rêve un aspect positif : en tombant, on se libère.

Comment l'interpréter ?

Ce peut-être un sentiment d'isolement, de solitude : on ne se sent pas soutenu. Mais c'est souvent aussi l'envie d'échapper à une réalité trop pesante : se sentir plus léger dans sa tête, moins préoccupé dans sa vie.
Voir aussi S'envoler

Triangle

Fréquence : 8 %

Comme le chiffre 3, le triangle est un symbole de la dynamique familiale (on emploie d'ailleurs fréquemment dans la psychanalyse le terme de « triangle œdipien » pour illustrer les relations entre papa, maman et enfant).

Comment l'interpréter ?

Tête en haut : prédominance du pôle masculin (du

père, de votre part d'homme), éventuellement substitut phallique.
Tête en bas : prédominance du pôle féminin (de votre mère, de vous) et aussi, parfois, symbole vaginal.
Ni en haut, ni en bas : harmonie familiale.

Tsunami

Fréquence : 3 %
Voir : *Inondation*

Le rêve dans les traditions

Comme en Occident, dans l'Inde et au Japon, un rêve présage souvent le contraire de ce qu'il représente. Par exemple : rêver de mariage n'est pas de bon augure, mais rêver de mort ou d'enterrement est un présage bénéfique. Rêver qu'on est battu ou qu'on vous coupe le cou promet un changement prospère ; rêver qu'on est en colère est signe de bonheur et vice versa. Pleurer en songe porte chance.

Chez les Anglo-Saxons, oublier au réveil les rêves que l'on a faits est un signe de chance, tandis que le songe fait trois fois de suite se réalisera. On dit aussi que le rêve fait dans la nuit du vendredi au samedi et raconté le lendemain, ou, aux États-Unis, dans la nuit du dimanche et raconté avant le petit déjeuner du lundi, se réalisera. Les songes effectués dans la nuit de Noël auraient aussi toutes les chances d'être prophétiques.

V

Vert

Fréquence : 37 %

Récurrente dans un rêve (prairie, vêtements, décors…), la couleur verte symbolise l'espérance. Elle signifie presque toujours une phase de renaissance, une période de croissance.

Comment l'interpréter ?

Vert seulement : signe d'évolution positive, de réconciliation avec un proche (parent, petit ami…).

Vert + rouge : disparition des sentiments négatifs envers les parents, notamment le père, restauration de la confiance.

Voiture

Fréquence : 11 %

Comme la maison, la voiture symbolise le Moi. Tout ce qui lui arrive, c'est ce qui vous arrive à vous (ou que vous avez peur qu'il vous arrive).

Comment l'interpréter ?

En fonction de ce qui se passe dans votre rêve.

Elle ne roule plus (pneus crevés, refus de démarrer) : ça ne roule pas pour vous en ce moment.
Vous tentez de freiner sans succès : vous vous sentez entraîné dans une situation que vous ne contrôlez pas.
Vous heurtez d'autres voitures : relations conflictuelles avec vos proches.

Voler dans le ciel

Fréquence : 16 %
Le vol en plein ciel, sans artifices (avion, navette spatiale, etc.) signifie toujours un désir ou un sentiment d'émancipation. Il est souvent lié à une sublimation des pulsions sexuelles et il exprime parfois une volonté de puissance.
Comment l'interpréter ?
En fonction de vos sentiments pendant que vous êtes en train de voler et quand vous vous réveillez. Si vous éprouvez du plaisir, du bien-être, voire de l'euphorie, c'est le signe que vous avez surmonté un conflit intérieur, parfois un problème dans votre existence. En revanche, si vous avez peur pendant que vous volez, de tomber par exemple, si vous vous réveillez mal à l'aise, cela révèle plutôt un sentiment d'impuissance par rapport à une situation donnée : s'envoler équivaut à fuir (les difficultés, soi-même…).

Y

Yeux

Fréquence : 21 %

Les yeux, dans les rêves, sont le symbole de la conscience et de la lucidité, mais ils ont aussi une connotation sexuelle.

Comment l'interpréter ?

Yeux exorbités : substitut du pénis (voir le loup de Tex Avery), convoitise sexuelle.

Yeux crevés : aveuglement lié à une culpabilité (Œdipe se crève les yeux quand il prend conscience qu'il a tué son père et couché avec sa mère).

Œil crevé : désir ou crainte de pénétration sexuelle

Œil qui regarde : sentiments coupables (l'œil regardait Caïn dans la tombe), besoin ou peur d'être vu par les parents, (œil droit : père, œil gauche : mère).

Lunettes : refus de voir ce que vous devez voir, envie d'être regardé ou peur de laisser voir vos sentiments réels.

Z

Zoo

Fréquence : 6 %

Les rêves de zoo sont très fréquents chez les enfants, souvent avant ou après une visite, plus rares chez les adultes. Il est toujours question de la bête en soi, plus ou moins maîtrisée, plus ou moins libre.

Comment l'interpréter ?

Animaux effrayants : peur de ses tendances agressives, refoulement de la colère.

Animaux joueurs : sentiments de bien-être, bonne intégration de ses pulsions agressives, gestion de sa colère.

Animaux trop maigres, maladifs : signes de dépression.

Êtes-vous un grand rêveur ?

« Pour sauvegarder la stabilité mentale
et même la santé physiologique,
il faut que la conscience et l'inconscient
soient intégralement reliés,
afin d'évoluer parallèlement. »

Carl Gustav Jung, Essai d'exploration de l'inconscient.

Depuis Freud, on sait que l'imagination, l'intuition, la créativité, bref, tout ce qui nous permet de rêver et de réaliser des vies meilleures passe par une bonne relation entre son inconscient et son Moi. Votre inconscient est-il votre meilleur ami ? Cochez chaque fois que vous vous reconnaissez sur la liste suivante.

- ❑ *Vous faites souvent des lapsus.*
- ❑ *Vous préférez les chiens aux chats (vous ne vous sentez jamais à l'aise quand il y en a un qui rode autour de vos chevilles).*
- ❑ *Vous ne vous souvenez presque jamais de vos rêves.*
- ❑ *Vous croyez aux fantômes ; votre grand-mère (celle qui est morte) vient d'ailleurs régulièrement vous caresser la tête dans votre sommeil.*
- ❑ *Vous n'aimez pas la couleur orange.*
- ❑ *Vous dormez d'une seule traite.*
- ❑ *Vous vous dites parfois qu'il y a quelqu'un dans votre ordinateur.*
- ❑ *Vous ne faites jamais de cauchemar.*
- ❑ *Vous vous attendez souvent à ce que les choses tournent mal.*
- ❑ *Vous avez très peur des serpents (ou des araignées, des souris, etc.).*
- ❑ *Vous pensez que vous êtes unique.*

- ❑ *Vous n'aimez pas faire l'amour pendant des heures.*
- ❑ *Vous avez le vertige.*
- ❑ *Vous jetez facilement la pierre aux autres (en cas d'erreur, de faute).*
- ❑ *Vous avez terriblement peur du ridicule.*
- ❑ *Vous avez mal au cœur en voiture (ou en bateau).*
- ❑ *Vous fantasmez peu sexuellement.*
- ❑ *Vous n'êtes pas à l'aise quand vous devez prendre l'avion.*
- ❑ *Vous ne donnez jamais votre sang (sauf obligation) ; vous détestez les piqûres.*
- ❑ *Vous préférez prendre les escaliers (même pour monter cinq étages) qu'un ascenseur.*
- ❑ *Vous avez toujours peur de vous tromper.*
- ❑ *Vous avez une manie (se tripoter les cheveux, par exemple).*
- ❑ *Vous ne riez jamais aux éclats ou très rarement.*
- ❑ *Vous ne pouvez pas utiliser des toilettes publiques.*
- ❑ *Vos amis vous reprochent fréquemment de parler trop fort.*
- ❑ *Vous avez été élevé d'une manière très stricte par vos parents.*
- ❑ *Vous avez le trac quand vous devez parler en public, passer un examen.*
- ❑ *Vous détestez ne rien faire (vous vous débrouillez pour être toujours occupé).*

- ❑ *Vous êtes mal à l'aise en présence d'étrangers (surtout s'ils n'ont pas la même couleur de peau que vous).*
- ❑ *Vous doutez souvent de vous-même (de vos capacités, de vos chances de réussite).*
- ❑ *Vous ne supportez pas quand les autres vous chambrent (même vos amis, même gentiment).*
- ❑ *Vous pensez que quand on s'aime, on doit tout se dire.*
- ❑ *Vous ressentez souvent des sentiments de honte.*
- ❑ *Vous n'avez jamais été tout seul au cinéma.*
- ❑ *Vous avez tendance à perdre vos moyens dès que vous vous croyez observé.*
- ❑ *Vous vous « sacrifiez » souvent pour les autres (spontanément et de façon excessive pour des personnes qui ne vous ont rien demandé).*
- ❑ *Vous n'arrivez pas à dormir dans les trains (ou les avions, en voiture).*
- ❑ *Vous avez du mal à sortir de votre routine.*
- ❑ *Vous bredouillez quand vous êtes énervé (ou vous bégayez d'une manière chronique).*
- ❑ *Vous fumez plus d'un paquet de cigarettes par jour.*
- ❑ *Vous êtes mal à l'aise dans les grands magasins le samedi (ou dans le métro aux heures de pointe).*
- ❑ *Chez vous, vous avez tendance à accumuler les vieilleries (vous avez du mal à jeter).*
- ❑ *Vous évitez de passer sous les échelles.*

- ❑ *Vous avez du mal à parler de vos sentiments (et à dire tout simplement « je t'aime »).*
- ❑ *Certains jours de Pleine Lune, vous vous sentez vraiment très mal.*
- ❑ *Vous avez du mal à casser avec quelqu'un, même quand vous pensez que la relation ne vous fait pas du bien.*
- ❑ *Il y a plein de choses (peau du lait, scène de violence…) qui vous dégoûtent.*
- ❑ *Vous pensez travailler bien mieux que ce que les autres croient et vous trouvez toujours qu'ils vous en demandent trop.*
- ❑ *Vous êtes persuadé que quelqu'un vous en veut en ce moment (la boulangère vous regarde d'ailleurs d'un drôle d'œil chaque fois que vous venez acheter votre baguette).*
- ❑ *Vous avez fréquemment l'impression d'avoir une « boule dans la gorge ».*
- ❑ *Vous avez un gri-gri (au moins) accroché à votre trousseau de clefs.*
- ❑ *Vous prenez des tranquillisants depuis des mois (sinon des années).*
- ❑ *Dans votre couple, vous supportez (très) mal les séparations (même de quelques jours).*
- ❑ *Vous croyez (comme 39 % des Français) à l'existence du Diable.*

- ❑ *Vous déménagez souvent (tous les deux ou trois ans), sans raison, professionnelle, par exemple.*
- ❑ *Vous cherchez toujours à bien faire (vous êtes plutôt perfectionniste dans votre travail).*
- ❑ *Vous êtes un peu hypocondriaque.*
- ❑ *Vous n'aimez pas trop les surprises (même agréables).*
- ❑ *Vous ne parlez jamais à vos plantes vertes.*

Comment analyser vos réponses ?

Comptez le nombre de carrés que vous avez cochés et reportez-vous au paragraphe correspondant.

Plus de 45

Pas de doute, entre votre inconscient et votre Moi la communication ne passe pas. Vous avez érigé (inconsciemment) une barrière (une vraie muraille de Chine en fait) infranchissable. Vous faites d'ailleurs souvent partie des gens (de purs cartésiens) qui croient que l'inconscient n'existe pas, que la raison prédomine.

Votre créativité

Faible. Chez vous, la machine à fantasme est en panne des sens. Vous fantasmez peu. Et les rares fois où cela vous arrive, c'est souvent un fantasme récurrent : des images qui reviennent systématiquement, le même scénario qui se répète indéfiniment. Par exemple, vous croyez que vous n'avez pas de fantasmes sexuels ? En fait vous les refoulez. Vous avez un peu peur des idées que cela pourrait vous donner, alors vous verrouillez. Lâchez-vous, ça vous fera du bien, libérera votre intuition et votre imagination.

Vos risques

Plus on est coupé de son inconscient, plus on somatise. La plupart des troubles psychologiques résultent d'un conflit entre notre « Moi » (l'idée que nous avons de nous-mêmes) et notre inconscient. Lorsque nous refoulons certains sentiments ou certains souvenirs qui nous semblent insupportables ou gênants, ceux-ci reviennent souvent « par la fenêtre » en provoquant des symptômes : migraines, douleurs musculaires, spasmes, troubles nerveux, angoisses, etc.

De 31 à 45

Chez vous, l'inconscient et le conscient sont assez soigneusement cloisonnés. Parfois votre inconscient se manifeste : vous faites des rêves qui vous semblent sans queue ni tête (mais qui symbolisent en fait des désirs ou des peurs que vous avez censurés à l'état de veille), des lapsus (pour exprimer « à l'insu de votre plein gré » ce que vous pensez vraiment) ou encore des actes manqués (par exemple en oubliant des rendez-vous où vous n'avez pas envie d'aller). Mai, au fond, vous ne voulez pas connaître vraiment ce qui se passe dans votre inconscient.

Votre créativité

Moyenne. Vous avez de l'imagination, de l'intuition, mais vous vous en servez peu. Dans votre vie quotidienne, votre travail, les relations avec les gens, vous agissez et vous jugez de manière rationnelle. Vous en appelez plus à la volonté et à la liberté de choix. Rien d'obsessionnel dans votre attitude : vous ne cherchez pas à réaliser à tout prix toutes vos idées et vos rêves (encore moins vos fantasmes) ; ou de monomaniaque : vous n'êtes pas un adepte de la pensée ou de la méthode unique (encore que !). Vous bloquez parfois sur certaines choses (préjugés), mais pas sur tout.

Vos risques

Que vos motivations profondes vous échappent. Préférer ignorer le rôle (prépondérant) que joue votre inconscient dans vos décisions et vos actes a des avantages : vous êtes maître de vos comportements (et responsable). Mais aussi des inconvénients : vous ne savez pas toujours pourquoi vous agissez de telle ou telle manière et, forcément, vous vous retrouvez souvent dans les mêmes situations (et/ou vous commettez les mêmes erreurs).

De 16 à 30

Chez vous, la frontière entre l'inconscient et le conscient est très perméable (vous avez, par exemple, souvent une vie onirique très riche). En fait, pour vous (comme pour Freud), le vrai devoir de liberté consiste à connaître nos désirs et nos craintes inconscientes. Ils cessent alors d'être obscurs et peuvent être maîtrisés. Vous êtes donc très attentif aux messages de votre inconscient, même si vous savez qu'une partie de votre personnalité vous échappant (impossible de se connaître soi-même entièrement), vous ne pouvez jamais être sûr de rien.

Votre créativité

Forte. Souvent peu conformiste (idées, normes sociales, politiques, établies…), vous avez un don pour faire du neuf (souvent en rapprochant des éléments apparemment sans rapport), trouver des solutions originales, même quand vous n'avez pas spécialement de fortes capacités artistiques ou quand vous travaillez dans des métiers qui ne nécessitent pas a priori beaucoup d'imagination. Quand vous avez le choix entre une méthode nouvelle aux résultats incertains, mais prometteurs, et les procédures habituelles, vous préférez presque toujours prendre le risque.

Vos risques

Chez vous, l'imagination ne se contente pas, comme chez les autres, de bricoler quelques images, d'enchaîner deux ou trois scènes : vous avez tendance à vous faire des films grand spectacle (parfois X d'ailleurs). Et parfois à vous déclencher pour un rien : une rencontre, une nouvelle idée, une nouveauté, etc. Donc vous devez, plus souvent qu'un autre, en appeler à la raison pour vous empêcher de virer au « Yaka, Faukon » et perdre alors tout contact avec la réalité.

Moins de 16

Chez vous, la frontière entre inconscient et conscient n'est pas assez bien délimitée, un peu trop passoire. Donc vous êtes souvent envahi par vos pulsions. Cela peut se manifester de différentes manières : envies irrésistibles (nourriture, sexe, choses, etc.), pulsions incontrôlables (vous vous entichez pour des gens ou vous les rejetez sans savoir pourquoi), dispersion (manque de stabilité, de suivi dans les actions et les relations), etc.

Votre créativité

Bouillonnante, mais confuse donc souvent stérile. Vous manquez fréquemment d'objectivité. Ou alors vous prenez vos désirs pour des réalités. Du coup, de nombreux malentendus avec les autres, de fausses espérances, etc. Vous devez apprendre à cloisonner pour mieux contrôler. Chaque fois que votre imagination se met à galoper inconsidérément, pincez-vous violemment le gras du bras, ça vous remettra en selle dans le réel.

Vos risques

Avec presque rien pour faire filtre entre votre inconscient et votre conscient, vous pouvez être submergé. Par vos propres pulsions, mais aussi par les autres. Ayant beaucoup d'empathie, vous êtes trop sensible à leurs émotions et à leurs sentiments. C'est bien de comprendre intuitivement les autres, d'être attentif à leurs problèmes, mais cela ne doit pas être au détriment de vos propres intérêts. Là encore, vous devez cloisonner, sinon vous risquez de ne plus vous appartenir et de vivre une (ou des) vie qui n'est pas la vôtre.

Le journal de mes rêves

Comment se souvenir de ses rêves ?

Le plus simple : mémoriser un seul mot associé à une image au moment où vous vous réveillez avant de vous endormir à nouveau.

Mais le mieux c'est d'avoir toujours un petit carnet et un crayon sur sa table de chevet.

Dès que vous vous réveillez, vous notez les éléments importants.

Inutile de faire de grandes phrases, juste les mots clés : au matin, vous pourrez reconstituer facilement toute l'histoire.

Notez aussi la date et l'heure de votre rêve, vous pourrez ensuite procéder à des recoupements, par exemple voir à quelle fréquence vous refaites le même rêve ou relier des rêves entre eux en fonction de l'évolution de votre vie.

Et résumez d'un mot en conclusion, l'impression qu'il vous laisse : joie, peur, tristesse, colère.

Vous pouvez mettre des croix aussi en fonction de l'intensité, par exemple : joie+, joie++, etc.

Mon rêve du...

Impression générale

Mon rêve du...

Impression générale

Mon rêve du...

Impression générale

Mon rêve du...

Impression générale

Mon rêve du...

Impression générale

Mon rêve du...

Impression générale

Mon rêve du...

Impression générale

Mon rêve du...

Impression générale

Mon rêve du...

Impression générale

Mon rêve du...

Impression générale

Mon rêve du...

Impression générale

Mon rêve du...

Impression générale

Mon rêve du...

Impression générale

Mon rêve du...

Impression générale

Mon rêve du...

Impression générale

Mon rêve du...

Impression générale

Glossaire

Cauchemar

C'est un rêve au contenu angoissant, avec un scénario plus ou moins construit et des émotions (anxiété, stress, angoisse, peur…) plus ou moins intenses. À l'extrême, il peut être très effrayant. Souvent, chez les enfants, il génère d'ailleurs une crainte d'aller se coucher.

Cycle du sommeil

Une nuit de sommeil est constituée d'un certain nombre de cycles qui se succèdent. Chacun d'entre eux dure environ quatre-vingt-dix minutes, et notre sommeil est ainsi découpé en quatre ou cinq périodes égales d'à peu près une heure et demie. Ces périodes elles-mêmes sont divisées en cinq phases : endormissement (1), sommeil léger (2), sommeil lent (3 et 4), sommeil paradoxal (5).

Durée du sommeil

En 2009, on dort en France un peu moins de sept heures en semaine et un peu moins de huit heures le week-end, soit une réduction de près d'une heure et demie depuis les années 1950.

La durée du sommeil varie selon le genre, elle semble légèrement plus courte chez les hommes que chez les femmes, les individus (certains ont moins besoin de dormir que d'autres) et l'âge (on dort de moins en moins en vieillissant).

Insomnie

De loin, le trouble du sommeil le plus fréquent, il touche actuellement près d'un quart de la population adulte, deux fois plus souvent les femmes que les hommes, et d'autant plus que l'on avance en âge.

L'insomnie se présente habituellement sous l'une des trois formes suivantes :

- une difficulté à s'endormir (fréquemment chez les hyper ou les hypo-actifs) ;
- un sommeil léger avec des éveils fréquents ;
- une impossibilité de prolonger sa nuit au-delà de trois ou quatre heures (très fréquente chez les personnes âgées).

Paralysie du sommeil

C'est une paralysie du corps (normal pendant la phase de sommeil paradoxal) qui se manifeste alors qu'on est en train de se réveiller. Malgré des efforts intenses, on n'arrive pas à bouger pendant un certain temps. Chez certaines personnes, cela déclenche parfois une attaque de panique. Pour de nombreux spécialistes, ce serait, en fait, un « faux réveil » pendant un rêve (on croit qu'on se réveille, mais en réalité, on continue à dormir).

Remémoration des rêves

En 1993, David Foulkes, un psychologue cognitiviste, se rend compte que tout le monde n'entend pas la même chose si on lui demande au réveil : « Avez-vous rêvé ? » Par exemple, il y a des gens qui, s'ils ont rêvé d'un fait quotidien, ne considèrent pas cela comme un rêve et répondent donc par la négative à la question. En reformulant la question de manière plus neutre : « Quelque chose vous a-t-il traversé l'esprit avant votre réveil ? », il montre que la fréquence de récits de rêve de personnes réveillées pendant un sommeil lent profond peut atteindre plus de 70 %. Tous les stades du sommeil sont donc propices à la production de rêves. Toutefois, la remémoration est plus facile lorsque la personne est réveillée en période de sommeil paradoxal, ce qui permet d'ailleurs d'obtenir des récits de rêve auprès de presque toutes les personnes (80 %), y compris celles qui prétendent ne jamais rêver. Dans tous les cas, le rêve qui survient le plus aisément à la conscience est celui qui précède immédiatement le réveil.

Rêve

Il y a encore quelques années, on pensait que le rêve avait lieu exclusivement pendant la phase de sommeil paradoxal, ou REM, car lorsqu'on réveillait les gens pendant cette phase, ils se rappelaient beaucoup plus souvent de leur rêve.

Aujourd'hui, on estime que 20 % environ de nos rêves ont lieu en dehors de la phase de sommeil paradoxal.

Rêve créatif

Il s'agit d'un rêve qui débouche dans la vie réelle sur une nouveauté : idée, nouveau concept, résolution d'un problème, invention… De nombreux créateurs, artistes ou savants, ont trouvé l'inspiration en rêve, par hasard. Mais il est possible de la provoquer volontairement à condition d'être suffisamment motivé et préparé.

Rêve lucide

Un rêve lucide est un rêve qui se distingue par le fait qu'on a conscience d'être en train de rêver. La plupart des rêves lucides ont lieu durant la phase de sommeil paradoxal. Ils peuvent survenir fortuitement ou résulter d'un apprentissage. Un apprentissage que font, par exemple, de nombreux bouddhistes. Cette faculté est mentionnée dans les textes traditionnels dès le VIIIe siècle. En Occident, le rêve lucide a été étudié en laboratoire du sommeil depuis la fin des années 1970.

Rêve prémonitoire

C'est un rêve souvent sans rapport direct avec la vie privée du rêveur, plus lié à une situation extérieure, qui annonce un événement futur qui se réalise effectivement. Tel le rêve de pharaon dans la Bible (voir page 49).

Rêves récurrents

Rêves similaires qui apparaissent plus ou moins fréquemment avec des variantes. On distingue deux sortes de rêves récurrents : ceux qui touchent à la personnalité profonde du rêveur, par exemple, perdre ses dents, être nu dans une foule, voler dans les airs, etc., et ceux qui concernent un problème non résolu : on bloque sur un moment particulier de sa vie (difficultés amoureuses, soucis professionnels…) et on va faire des rêves récurrents, jusqu'à ce que l'obstacle soit dépassé.

Sommeil léger

Le sommeil léger (ou phase 2) occupe environ 50 % du temps de sommeil total. On dort, mais on est encore très sensible aux stimuli extérieurs. D'ailleurs, en phase 2, 50 % des bons dormeurs et 80 % des mauvais dormeurs pensent ne pas vraiment dormir.

Sommeil paradoxal

C'est la période (ou phase 5) propice aux rêves (mais aussi aux cauchemars), bien que les rêves puissent survenir pendant le sommeil profond. Il correspond environ à 20-25 % du temps total de sommeil. Au contraire des autres phases du sommeil, l'activité électrique du cerveau (plus semblable à celle de l'éveil qu'à celle du sommeil lent), des yeux est très importante dans cette phase, alors qu'il existe une paralysie musculaire quasi totale. Cette phase se répète toutes les quatre-vingt-dix minutes, et sa durée s'allonge avec la succession des cycles du sommeil, pour devenir maximale en fin de nuit.

Sommeil profond

Le sommeil profond, ou lent, correspond aux phases 3 et 4 du sommeil. Il occupe environ cent minutes du temps de sommeil, qu'on soit un petit ou un gros dormeur. Il a tendance à diminuer avec l'âge, au profit de la phase 2. En phase 3, on peut observer une très discrète activité musculaire et les mouvements oculaires ont quasiment disparu. C'est en phase 4 que se produisent parfois les terreurs nocturnes ou le somnambulisme.

Somnambulisme

Le somnambulisme (du latin *somnus*, somme, et *ambulare*, marcher) survient généralement durant les phases 3 et 4 du sommeil, ou sommeil profond, parfois très rapidement après l'endormissement. C'est un état second : on semble éveillé, on a les yeux ouverts, on est capable de répondre à des ordres ou à des questions par oui ou non, mais en fait on continue de dormir. Les déambulations sont la plupart du temps limitées au lieu d'habitation, mais on a vu certains somnambules sortir de chez eux, prendre leur voiture, conduire… Après la crise, on n'a aucun souvenir de ce qu'on a fait, pas même de s'être levé pendant la nuit.

Le somnambulisme s'observe le plus souvent chez les enfants, surtout les garçons entre sept et douze ans, mais on estime qu'entre 10 et 20 % des adultes seraient sujets au somnambulisme.

Somnolence

La somnolence, phase 1 du sommeil, est le stade de l'endormissement (transition entre l'éveil et le sommeil). Elle est caractérisé par une réduction de la vigilance, du tonus musculaire et de la fréquence cardiaque. Normalement, la durée de l'endormissement est inférieure à vingt minutes. Au-delà, on parle d'insomnie. À noter : l'endormissement n'est presque jamais conscient, perçu, d'où le risque de s'endormir au volant.

Troubles du sommeil

On distingue deux sortes de troubles du sommeil : les parasomnies, par exemple les cauchemars ou les terreurs nocturnes, le somnambulisme ou l'énurésie, qui sont des manifestations pouvant accompagner le sommeil (de manière pathologique ou non) et les dyssomnies, par exemple l'insomnie ou les excès de sommeil, consistant en une altération de la quantité et qualité du sommeil.

Terreurs nocturnes

La terreur nocturne est un trouble du sommeil de l'enfant, on l'observe rarement chez l'adulte, survenant en début de nuit et en phase de sommeil lent profond. L'enfant a ensuite une amnésie complète de l'épisode. Elle se manifeste par un réveil brutal accompagné de cris de panique : l'enfant a l'air terrifié, hurle et se débat lorsque ses parents tentent de le calmer. La crise dure jusqu'à vingt minutes et s'accompagne de tachycardie, polypnée, agitation, sudation, cris, rougeur du visage ou parfois pâleur. À son réveil, l'enfant ne se souvient plus de rien.

On estime que 6 % des enfants d'âge préscolaire et 1 à 3 % des enfants de moins de quinze ans sont sujets à des terreurs nocturnes répétées, susceptibles de causer une détresse ou de gêner de manière notable le fonctionnement affectif et social.

Index

Petite bibliographie

Généralités

- Roger Caillois et Gustave Von Grunebaum, dir. (1967),
  Le Rêve et les Sociétés humaines,
  Gallimard.
- Michel Jouvet,
  Pourquoi rêvons-nous ? Pourquoi dormons-nous ?
  Où, quand, comment ?
  Odile Jacob, Paris, 2000.
- Peretz Lavie,
  Le Monde du sommeil,
  Odile Jacob, Paris, 1998.
- Pierre Cheymol,
  Les Empires du rêve,
  José Corti, 1994.
- Françoise Parot,
  L'Homme qui rêve,
  PUF, 1995.

Psychanalyse

- Sigmund Freud,
  L'Interprétation des rêves,
  PUF, 2003, œuvres complètes IV.

- Sigmund Freud,
  Le Rêve et son interprétation,
  Gallimard - Poche, 2001.
- Sigmund Freud,
  Sur le rêve,
  Gallimard - Poche, 1990.
- Carl Gustav Jung,
  Les Rêves d'enfants, tome 1,
  Albin Michel.
- Carl Gustav Jung,
  Les Rêves d'enfants, tome 2,
  Albin Michel.
- Carl Gustav Jung,
  Sur l'interprétation des rêves,
  LGF - Livre de Poche, 2000.
- Jean-Michel Quinodoz,
  Les Rêves qui tournent une page,
  PUF.
- Michel Perrin,
  Les Praticiens du rêve : un exemple de chamanisme,
  PUF, 2001.

Vous avez aimé ce livre ?

Vous trouverez également dans la même collection

Les Titres PSYCHOLOGIE

- *Le Décodeur gestuel*, Joseph Messinger
- *Le Profileur gestuel*, Joseph Messinger

Les Titres LANGUE FRANÇAISE

- *La Conjugaison correcte*, Jean-Joseph Julaud
- Les Contrepèteries, Joël Martin
- *La Grammaire facile*, Jean-Joseph Julaud
- *Les Gros Mots*, Gilles Guilleron
- *Le Français correct*, Jean-Joseph Julaud
- *Les Pluriels*, Patrick Burgel
- *Petite Anthologie de la Poésie*, Jean-Joseph Julaud
- *Les liaisons*, Jean-Joseph Julaud

Les Titres CULTURE GÉNÉRALE

- *Les Dieux et héros de la mythologie*, Colette Annequin
- *Les Dieux et pharaons*, Pascal Vernus
- *Les Grandes Dates de l'Histoire de France*, Jean-Joseph Julaud
- *Les Grands Écrivains*, Jean-Joseph Julaud
- *Les Grands Personnages de la Bible*, Éric Denimal
- *Les Présidents de la République*, Philippe Valode
- *Les Petits et Grands Personnages de l'Histoire*, Jean-Joseph Julaud
- *Les Rois de France*, Jean-Baptiste Santamaria
- *Les Symboles*, Fabrizio Vecoli
- *Petite anthologie de la poésie érotique*, Gilles Guilleron
- *Les Grandes dates de l'Histoire du monde*, Catherine Valenti
- *Les plus belles paroles de la Bible*, Éric Denimal